QUELQU'UN MARCHAIT SUR MA TOMBE

ŒUVRES DE FRÉDÉRIC DARD
DANS PRESSES POCKET

ON N'EN MEURT PAS
LE PAIN DES FOSSOYEURS
DÉLIVREZ-NOUS DU MAL
LE BOURREAU PLEURE
LES SCÉLÉRATS
LE CAUCHEMAR DE L'AUBE
MAUSOLÉE POUR UNE GARCE
À SAN PEDRO OU AILLEURS
LES SALAUDS VONT EN ENFER
LE MONTE-CHARGE
LE MAÎTRE DES PLAISIRS
C'EST TOI LE VENIN
COMA
LE TUEUR TRISTE
UNE GUEULE COMME LA MIENNE

FRÉDÉRIC DARD

QUELQU'UN MARCHAIT SUR MA TOMBE

FLEUVE NOIR

ISBN 2-266-04016-2

A Abder ISKER,
ce drame au ralenti,
en témoignage d'amitié fidèle.

F. D.

Lorsqu'il partit de chez lui, Liselotte lui demanda à quelle heure il pensait rentrer ; et il répondit qu'il n'en savait rien, car il pouvait très bien ne jamais plus rentrer chez lui.

L'endroit était laid, froid et bizarre. Le jour gris, en déclinant, estompait les volumes. Il arrivait directement du ciel malade sur lequel s'ouvrait une immense verrière aux vitres sales. Un vieux bureau à volet et un classeur déglingué n'arrivaient pas à donner à la pièce une atmosphère de bureau, pas plus que les deux banquettes de moleskine où le crin moussait par de larges plaies. Une grande partie du local était encombrée de caisses neuves portant des inscriptions au pochoir et par de mystérieux objets soigneusement emballés dans du papier brun.

Le nez collé au carreau fendu de la verrière, Lisa regardait tomber la pluie sur le port de Hambourg. Le bureau se trouvait tout en haut d'un vaste entrepôt et faisait songer à la cabine vitrée d'une grue. On pouvait y accéder depuis l'extérieur par un roide escalier de fer tout rouillé dont la rampe manquait par endroits. Le bureau communiquait avec l'entrepôt par un autre escalier, moins abrupt, en pierre celui-là, mais dont la rampe de bois n'était guère fameuse non plus.

Lisa considérait l'univers de métal étalé dans la grisaille. Son regard embrassait une succession de chantiers grouillants dans lesquels hurlaient des sirènes et grinçaient des cabestans. Au bout d'un moment elle se retourna et vit Paulo assis sur le bureau, les jambes ballantes. Ce dernier lisait un journal abondamment illustré en sifflotant une irritante mélopée.

— Je vous admire, soupira Lisa.

Il mit un certain temps à abaisser son journal. C'était un petit homme placide, au visage précocement ridé. Il avait un nez fort, aussi gris que le reste de son visage, et de petits yeux furtifs aux paupières lourdes.

— Je vous demande pardon ? murmura-t-il.

Sa voix était calme mais mordante. Elle se demanda s'il n'avait vraiment pas entendu ou s'il prenait plaisir à lui faire répéter sa phrase.

— Je disais que je vous admire, fit Lisa.

— A cause ?

— D'avoir le cœur à siffler.

Paulo haussa les épaules, puis rejeta d'un coup de pouce adroit son feutre à bord court derrière sa tête.

— C'est machinal, expliqua-t-il. Passez-moi une cigarette, je ne sifflerai plus.

Lisa fouilla les poches de son imperméable blanc. Elle sortit un paquet d'américaines qu'elle vint présenter à Paulo, passivement.

— Je vous admire aussi de pouvoir lire, reprit-elle.

Le petit homme la fixa d'un air indécis. Il paraissait vaguement surpris par le ton hostile de la jeune femme. Mais Paulo était un sage et il savait que Lisa vivait un moment exceptionnel.

— Je ne lis pas, je regarde les bandes dessinées. Et puis comment je lirais ça, puisque je ne comprends pas l'allemand ?

Il prit une cigarette et l'alluma sans cesser de regarder sa compagne. Il la trouvait belle et elle l'émouvait. Lisa avait les cheveux châtain sombre ; la peau blanche était constellée de taches de rousseur pâles et ses yeux fauves possédaient un éclat très vif. Il vit deux minuscules petites rides au coin des yeux de Lisa et fut surpris de ne pas les avoir remarquées plus tôt.

— Quelle heure ? demanda-t-elle.

Paulo retroussa sa manche sans presque remuer le bras.

— Six heures et des poussières, annonça-t-il.

— C'est long, dit Lisa.

Et elle retourna se planter devant la verrière où la pluie visqueuse dégoulinait dans la poussière sur un rythme continu.

— Il dégringole quelque chose, hein ? lança Paulo.

Après un léger silence il ajouta, comme se parlant à lui-même :

— Dans un sens, ça vaut mieux.

— Pourquoi ? demanda âprement Lisa avec une brusque volte-face.

— Parce que les flics n'aiment pas le mauvais temps.

— Oh ! les flics allemands, vous savez...

— Justement, dit Paulo, aujourd'hui ils portent leurs longs cirés noirs ; ça les gênera pour courir.

Il réfléchit et ajouta :

— De toute façon, les Allemands courent mal. Je ne sais pas si vous l'avez remarqué : ils ont le derrière carré.

Lisa n'eut même pas un sourire. Tout était mort en elle, sauf cet espoir fou qu'elle portait comme un enfant. Elle se sentait grise et froide comme le morne horizon étalé à ses pieds. Elle était de fer et de béton elle aussi, plus dure et plus glacée peut-être que le fer et le béton. Paulo le devinait. Son admiration pour Lisa se teintait de pitié. Il regarda le journal allemand d'un œil excédé. Il trouvait les dessins mauvais et s'irritait de ne pas comprendre leurs légendes.

— Qu'est-ce que ça veut dire, *bis morgen ?* demanda-t-il.

— A demain, traduisit Lisa. Pourquoi ?

— Pour rien, soupira Paulo en lâchant le journal. Sous le dernier dessin il y avait écrit *bis morgen* et je me demandais ce que ça signifiait. Ces trucs-là sont aussi ballots en Allemagne que chez nous.

Elle marcha brusquement sur lui avec une détermination qui l'inquiéta. D'un geste brusque elle releva la manche de Paulo pour dégager la montre du petit homme. Paulo comprit et arrondit le bras pour lui faciliter la lecture du cadran. Lisa regarda l'heure et il y eut soudain comme un trait d'ombre dans ses yeux. Elle lâcha le poignet de Paulo et s'en fut s'asseoir sur l'une des banquettes crevées. Paulo la rejoignit et lui mit gentiment la main sur l'épaule.

— Essayez de penser à autre chose, conseilla-t-il.

— A quoi ? demanda Lisa.

— A n'importe quoi, sauf à ça.

— Vous pensez à autre chose, vous ? insista la jeune femme sincèrement intéressée.

Par instants, Paulo avait des mimiques inattendues qui lui déformaient entièrement le visage, faussaient le volume de sa tête et brouillaient ses traits. On eût dit que sa figure était en caoutchouc malléable et qu'il pouvait lui faire prendre les formes les plus incroyables.

— J'ai une recette pour quand ça ne va pas, affirma-t-il. Je me mets à penser au mont Blanc. Au mont Blanc sous la lune.

Il se tut pour la regarder, constata qu'elle était intéressée et reprit :

— Le mont Blanc sous la lune, vous avez déjà vu ça, Lisa ?

— Non, dit Lisa.

— Moi non plus, ajouta Paulo. J'ai déjà vu le mont Blanc, j'ai souvent vu la lune, mais jamais les deux ensemble. On rate un tas de choses...

Elle le considéra avec un certain mépris. Il venait de la décevoir. Elle espérait quelque chose de lui, quelque chose d'apaisant qu'il ne lui avait pas apporté et qu'il lui avait promis inconsidérément. Paulo eut honte de sa déception. Il avait vécu beaucoup d'instants critiques au cours de son existence tumultueuse ; chaque fois il avait surmonté le coup grâce à son sang-froid. Lorsque les choses tournaient mal, il devenait extraordinairement lucide et indifférent ; mais ce jour-là, à cause de cette fille, il n'arrivait pas à se contrôler pleinement.

— Qu'est-ce que c'est que ce chantier, là-bas,

avec l'énorme pont roulant ? demanda-t-il pour dire quelque chose.

— Un chantier ! riposta hargneusement Lisa.

Machinalement elle regarda dans la même direction que lui. Dans la grisaille, des lampes à arc crépitaient. Leurs flammes bleutées semblaient s'enfoncer dans d'énormes plaques d'acier et le métal rougeoyait comme des chairs meurtries.

Des silhouettes en combinaisons jaunes s'agitaient sur un rythme que l'éloignement faisait paraître désordonné.

— C'est joli toutes ces lampes à souder, apprécia Paulo. Ça me fait penser au Palais des Sports. On voit plein de lueurs d'allumettes dans l'ombre. C'est pas croyable, le nombre de gens qui peuvent fumer. Les cigarettes qui s'éteignent, les cigarettes qui s'allument, c'est comme la vie dans le monde, non ? Enfin, moi je trouve...

Comme elle restait enfermée au fond d'elle-même, farouche et crispée, il poursuivit, en s'efforçant de donner à ses paroles l'aimable chaleur de la banalité :

— On y fabrique quoi, dans ce chantier ? Des bateaux, bien sûr ?

— Bien sûr, fit Lisa de sa voix impitoyable à force d'indifférence.

— Dites donc, celui qui est en cours, ça doit être un drôle de morceau ?

— Ce sera un pétrolier. Je l'ai vu commencer au début de l'année.

Encouragé, Paulo ôta sa cigarette de ses lèvres et regarda faiblir le bout incandescent.

— Dans le fond, dit-il, le travail c'est beau. Seulement il faut le voir d'en haut, comme nous en ce moment. Moi, si je pouvais fabriquer un pétrolier tout seul, peut-être que je travaillerais... Mais le soudeur, avec ses lunettes noires et son arc, vous croyez qu'il a l'impression de fabriquer un pétrolier, lui ?

Lisa soupira :

— Vous m'ennuyez, Paulo. Je n'ai pas envie de parler.

Elle secoua tristement la tête et ajouta :

— Ni d'entendre parler. Je suis avec Frank, vous comprenez ?

— Et moi, alors ? s'emporta le petit homme en crachant son mégot. Vous pensez sérieusement que ça m'amuse de causer ?

Elle prit conscience de son injustice et tendit la main vers lui dans un geste furtif d'imploration.

— Pardon, murmura Lisa, je suis méchante.

Paulo haussa les épaules.

— Non, ça ne m'amuse pas, poursuivit-il. Ça

ne m'amuse pas, Lisa. Moi aussi je suis avec Frank.

Ce qu'il ressentait ressemblait à du chagrin émoussé. Cela lui faisait l'effet d'une vieille peine mal oubliée. Ça grinçait au fond de son âme et il avait de la difficulté à respirer normalement.

— Dites, Paulo, vous croyez que ça marchera ?

Elle venait de lâcher sa question d'une voix implorante de petite fille, et il en fut profondément remué.

— Oh ! alors, si vous le prenez comme ça, pesta Paulo en arpentant le bureau à pas rageurs, vous allez nous porter la cerise !

Il revint se planter devant elle, enfonça ses mains dans ses poches pour se donner une attitude et commenta de sa voix lente et acide :

— Quand vous collez la meilleure des montres contre votre oreille, Lisa, elle finit par s'arrêter. Elle s'arrête parce que vous doutez d'elle. Les montres, c'est comme les gens : il faut savoir leur faire confiance. Nous, on a mis une montre au point. Une montre tellement bien réglée qu'un Suisse en crèverait de jalousie. Alors foutons-lui la paix et laissons-la fonctionner.

Il fit claquer sa langue, comme un grumeur de vin.

— Passez-moi une cigarette.

Elle lui présenta le paquet et lui sourit avec reconnaissance. Paulo prit une cigarette.

— Vous, non ? demanda-t-il.

Lisa qui n'y pensait pas en saisit une à son tour et Paulo la lui alluma. Des bourrasques de vent leur apportaient par instants les échos d'un lied allemand. Paulo ouvrit la porte vitrée donnant sur l'extérieur et le lied se fit plus présent. Il écouta un instant, mais les morsures de la pluie le firent reculer et il referma la porte.

— Ce sont des matafs au bar de la douane, expliqua-t-il.

— A quelle heure Gessler a-t-il dit qu'il viendrait ? demanda Lisa.

— A six heures un quart.

— Il n'est pas là.

— Parce qu'il est six heures dix !

Elle se pinça les yeux entre le pouce et l'index. Elle n'avait pas fermé l'œil au cours de la nuit précédente et ses paupières brûlaient son regard comme un fer rouge.

— Vous croyez qu'il viendra ? demanda Lisa.

— Quelle idée !

— J'ai peur qu'il ne flanche ! Gessler a toujours mené une vie si exemplaire !

— Justement, ricana Paulo, les occasions de sortir du droit chemin ne sont pas tellement nombreuses pour un honnête homme ! D'autant plus, ajouta-t-il, que lui doit tout faire par poids et mesure : surtout le mal !

Il se tut en voyant surgir une silhouette derrière la porte vitrée donnant sur l'extérieur. Il n'avait pas entendu vibrer les marches de fer de l'escalier et l'apparition le prenait au dépourvu. Paulo avait horreur d'être pris au dépourvu.

La porte s'ouvrit sur Gessler. C'était un homme d'une quarantaine d'années, blond-gris, très germanique, avec des manières d'homme du monde et une élégance un peu triste parce que légèrement surannée. Il tenait une valise de bazar à la main. La valise neuve et médiocre détonnait. Lisa eut un mouvement de joie en le voyant entrer dans le bureau. Cette venue lui sembla être un heureux présage.

— On parlait de vous, monsieur Gessler, dit Paulo avec humour.

Gessler lui jeta un regard glacé que sa politesse naturelle ne parvenait pas à réchauffer.

Il eut un pâle sourire.

— Dans cette affaire, fit-il, moins on en parlera, mieux cela vaudra.

Puis il s'approcha de Lisa et s'inclina devant elle avec un léger claquement de talons.

— Bonsoir, Lisa.

Elle garda ses mains frileusement blotties au fond de ses poches.

— Quelles sont les nouvelles ? demanda la jeune femme, avec une anxiété vibrante.

Gessler posa la valise sur le bureau à cylindre.

— Les nouvelles auxquelles vous faites allusion ne sont pas encore des nouvelles, dit-il en consultant sa montre. Du moins je ne le pense pas. En ce moment le fourgon sort tout juste de la prison.

Il s'exprimait dans un français irréprochable, mais il avait un assez fort accent que la douceur de sa voix parvenait à atténuer.

— Et s'il y avait un contrordre à la dernière minute ? balbutia Lisa.

— Chez nous, murmura Gessler, les contrordres ne sont jamais donnés à la dernière minute.

— J'ai peur, fit-elle.

Toute sa détresse était contenue dans cet aveu. Paulo et Gessler eurent un même mouvement inachevé pour s'approcher de Lisa. Ils se gênèrent mutuellement et rengainèrent leur compassion.

— En supposant que ça rate, commença-t-elle.

Elle fixait le vieux volet du bureau d'un œil morne.

— C'est une supposition que j'ai beaucoup faite ces derniers jours, assura Gessler.

— Alors ? demanda-t-elle du ton que prend un malade pour questionner son médecin après l'auscultation.

— Alors, fit Gessler, je préfère ne plus la faire au moment où... les choses s'accomplissent !

Et, désignant la valise, il ajouta :

— Voici l'uniforme.

Intéressés, Lisa et Paulo s'approchèrent de la valise. Paulo fit jouer les maigres fermoirs et souleva le couvercle. Il sortit une veste de marin à boutons dorés qu'il tint écartée devant lui, un peu comme l'eût fait un vendeur de grand magasin proposant une marchandise.

— C'est quoi ? demanda-t-il.

— Marine marchande, répondit négligemment Gessler.

— Allemande ? insista Paulo.

— Ça vous choque ? dit Gessler avec un sourire blanc.

Paulo haussa les épaules et lâcha la veste pour puiser une casquette plate dans la valise. Il la coiffa d'un mouvement enfantin, puis il s'approcha de la verrière et chercha son image dans les vitres avec des contorsions cocasses.

— Y a des gars, soupira-t-il, collez-leur cette casquette sur la tronche, ils ressembleront tout de suite à des corsaires.

— Moi, ajouta-t-il, piteux, je ressemble à un facteur.

Il ôta la casquette et la lança adroitement dans la valise ouverte.

— Chacun sa gueule, soupira Paulo, c'est la vie.

Gessler tira de sa poche une sorte de carnet brunâtre sur la couverture duquel luisaient des caractères dorés.

— Voici en outre un passeport au nom de Karl Lüdrich, annonça-t-il.

Lisa prit le document et l'ouvrit à la page signalétique. Gessler eut un sourire triste. Tout était grave et triste chez cet homme : sa voix, sa figure, ses manières et sa mise.

— On s'est arrangé pour que le tampon morde un peu sur la photographie, expliqua-t-il.

Lisa contemplait l'image et quelque chose de vibrant chantait en elle.

— Elle date de cinq ans, soupira la jeune femme. Il a beaucoup changé ?

Gessler haussa les épaules.

— Tout le monde change en cinq ans !

— Mais lui ? insista Lisa.

— Je le vois trop souvent pour m'en rendre compte.

Elle referma le passeport à regret et le déposa dans la valise.

— Cinq ans de détention ; un homme comme Frank...

— Oui, ronchonna Paulo, il a dû griffer les murs, moi je vous le dis !

Gessler le regarda d'un air surpris.

— Toutes les fois que je l'ai vu il était calme, affirma l'Allemand.

— Les bombes aussi sont calmes avant d'exploser ! ricana Paulo.

Gessler se détourna pour consulter sa montre, mais malgré tout Lisa surprit son geste.

— Où sont-ils, maintenant ? demanda-t-elle.

Le gros fourgon cellulaire noir qui roulait à vive allure dans Stresemanstrasse ralentit pour aborder le carrefour. Comme si le passage du véhicule eût déclenché quelque savant mécanisme, les feux rouges s'engloutirent dans la pénombre pour laisser place aux feux verts et le fourgon reprit de la vitesse.

Le chauffeur était un gros type blond au visage rouge. Il chantonnait en conduisant. A ses côtés, un garde armé d'une mitraillette mâchonnait une allumette en regardant le sombre flot de la circulation. Soudain, les lampadaires municipaux s'allumèrent. Aussitôt, tous les automobilistes éclairèrent leurs phares. C'était automatique. Le chauffeur du fourgon en fit autant. En trois secondes, Stresemanstrasse passa du jour mourant à la nuit. Au ciel, pourtant, de grandes lueurs mauves s'attardaient, mais cette décision collective des hommes les avait rendues brusquement négligeables.

La voiture décrivit un arc de cercle afin d'emprunter Budapesterstrasse ; puis elle obliqua résolument à droite pour foncer en direction de l'Elbe. Comme elle arrivait en vue des bâtiments rococos signalant l'entrée de l'Elbtunnel, deux motards de la police qui attendaient devant Landungsbrücken mirent leurs machines en marche et rejoignirent le fourgon.

Leurs cirés noirs trempés de pluie luisaient à la lumière des lampes comme des carapaces d'insectes.

Le chauffeur leur adressa un clin d'œil sans cesser de chantonner. Le cortège pénétra à l'intérieur du bâtiment et suivit la voie menant à l'ascenseur. Des automobilistes et des cyclistes faisaient la queue devant les grilles. L'immense cabine d'acier jaillit tout à coup du sol et un gardien galonné actionna les portes qui coulissèrent silencieusement. Les voitures et les cyclistes s'engouffrèrent à l'intérieur de l'ascenseur, mais ils ne purent tous s'y loger et une demi-douzaine de cyclistes durent attendre le tour suivant. L'ascenseur disparut pour aller déposer son chargement au-dessous du fleuve. La rotation des poulies grasses sur lesquelles filaient les énormes câbles permettait de mesurer la profondeur de la cage. La descente dura un bon moment, puis les poulies s'immobilisèrent pour repartir bientôt en sens inverse. Lorsque la cage réapparut, les cyclistes voulurent y entrer, mais les deux motards s'interposèrent et firent signe au fourgon d'avancer. Docilement, les cyclistes se rangèrent sur les trottoirs de bois. De même ils n'insistèrent pas lorsque les deux policiers leur condamnèrent à nouveau l'accès de la cage après l'entrée du véhicule, bien qu'il restât beaucoup d'espace disponible. La scène se déroula sans un mot. Le préposé referma les grilles sur les policiers et actionna d'un geste indifférent le levier de descente.

Appuyés sur leurs vélos, les ouvriers regardèrent s'enfoncer la vaste cabine illuminée.

Aucun ne pensa au prisonnier qui se trouvait à l'intérieur du fourgon.

Ils se taisaient depuis un bon moment déjà. Tous trois restaient immobiles et déserts comme des statues. Soudain Lisa esquissa un furtif signe de croix.

— Vous êtes croyante ? demanda Gessler.

— Non, fit Lisa, mais il ne faut rien négliger.

Gessler sourit.

— C'est très français, fit-il.

— Pourquoi ? grogna Paulo.

Gessler ne répondit pas et le petit homme lui jeta un regard charbonneux. Lisa poussa une exclamation qui fit sursauter les deux hommes. D'instinct ils regardèrent au-dehors, mais le port était calme et gris et continuait de se diluer dans une brume où fulguraient les lampes à arc.

— Qu'avez-vous ? questionna Gessler.

— Je viens de penser que j'ai oublié mon poste de radio dans ma chambre.

— Pourquoi la radio ?

— Pour les informations !

— L'information qui vous intéresse, vous l'aurez avant le bulletin d'informations, ma chère Lisa, dit Gessler en s'efforçant de prendre un ton léger. Mais il y parvenait difficilement. C'était un homme sans humour, aux manières dures. Sa courtoisie n'était jamais de l'affabilité. Malgré ses élans, il restait raide et froid.

— Si ça ne réussissait pas, murmura la jeune femme, il faudrait bien que nous le sachions autrement que par le silence et l'attente ?

Gessler approuva et, sortant un minuscule trousseau de clés de sa poche, il le tendit à Paulo.

— Il y a un petit transistor dans le vide-poches de ma voiture, fit-il.

Paulo prit les clés.

— Où est votre auto ?

— C'est la Mercedes noire en bordure du Fârkanal.

Paulo fit sauter le trousseau de clés à plusieurs reprises dans le creux de sa main, puis il sortit après leur avoir jeté un étrange regard. Son pas fit vibrer l'escalier de fer. Lisa et son compagnon l'écoutèrent décroître en regardant les rigoles de pluie qui se multipliaient sur les vitres, tissant une bizarre toile d'araignée dont le motif se modifiait sans trêve.

Lisa s'approcha de Gessler et le fixa un moment, de ses yeux ardents cernés par l'angoisse.

— Adolf, murmura-t-elle, je ne suis pas fâchée d'être seule un moment avec vous.

— Je suis toujours heureux quand nous nous trouvons en tête à tête, Lisa.

« Comme il est calme et maître de soi », songea-t-elle. Elle l'admirait. C'était un homme surprenant qui l'avait toujours déroutée. Il lui faisait songer à un palmier. Il était droit, dur et rugueux, mais le cœur était d'une infinie tendresse.

— Le moment est venu de vous dire merci, murmura la jeune femme. C'est un moment difficile.

Gessler posa sa main soignée sur l'épaule de Lisa.

— Le moment est venu de vous dire adieu, riposta-t-il, c'est un moment plus difficile encore.

Ils restèrent un instant comme pétrifiés. Ils avaient trop de choses à se dire ; des choses qu'ils ne se diraient jamais. Elles leur nouaient la gorge.

— Merci, Adolf, balbutia-t-elle enfin.

— Adieu, Lisa, dit lentement Gessler en retirant sa main.

— Je vous dois tout, fit-elle.

Elle avait le regard brillant et des larmes s'amassaient au bord de ses longs cils.

— Comme vous devez souffrir d'avoir aidé à... à ceci ?

Les larmes escaladèrent les cils de Lisa et tombèrent rapidement sur son visage crispé. Gessler songea que ces deux larmes constituaient une sorte de cadeau très précieux et il aurait voulu les toucher, mais il n'osa pas.

— Je ne regrette rien, affirma-t-il seulement.

Il pensa à Lotte, sa femme, si paisible, si grasse et si fondante, et dont le babillage de perruche ne s'interrompait jamais. Il la voyait à table, s'empiffrant de la nourriture plantureuse. Ou bien au théâtre, dans des atours surannés et clinquants.

— Non, répéta-t-il sur un ton de défi, je ne regrette rien.

— Sans votre aide, objecta Lisa, tout aurait continué comme avant.

— Je sais.

Cet « avant » dont parlait la jeune femme chantait déjà dans le cœur de Gessler la mélancolique chanson des bonheurs perdus. Il eut un moment de désarroi, lui si calme.

— Mais à cause de votre aide, continua Lisa, nous allons devoir nous séparer.

Pourquoi insistait-elle de cette façon ? Pourquoi versait-elle du sel sur la plaie ? Gessler ne pensait pas qu'elle cherchât à lui faire mal par plaisir. Il se dit qu'il n'avait jamais compris grand-chose aux femmes. Elle devait avoir ses raisons.

— Vous êtes un homme magnifique, Adolf.

Il fut gêné et haussa rudement les épaules.

— Mais non, dit-il sèchement ; lorsqu'on ne peut pas conserver ce qui vous échappe, le mieux c'est encore de le donner. Ce n'est pas de la magnificence, c'est de l'orgueil.

Puis, avec une âpreté qui effraya Lisa il lui jeta :

— Adieu, Lisa !

Elle se méprit.

— Vous partez tout de suite ? demanda-t-elle, épouvantée à l'idée de rester seule dans ce vaste bâtiment où flottaient des odeurs indécises d'emballage et de moisissure.

— Certes non, mais je vous dis adieu maintenant parce que les gens ne se disent jamais adieu au bon moment.

Dans un élan elle lui tendit la main. Il la recueillit, la porta à ses lèvres puis la pressa contre sa joue.

— Je ne crois pas beaucoup en Dieu, soupira-t-il, mais que Dieu vous garde, Lisa.

— J'espère que vous n'aurez pas d'ennuis ? fit-elle en le contemplant.

Gessler lâcha la main de sa compagne et défit les boutons de son vêtement.

— En tant qu'avocat de Frank je serai sûrement entendu, mais j'ai si bonne réputation qu'à moins d'une... indiscrétion...

Il eut un rire cassant.

— La police est comme le commun des mortels, vous savez. Elle s'imagine qu'il y a une limite d'âge pour devenir malhonnête.

Elle savait qu'un violent combat se déroulait dans la conscience de Gessler. A la façon dont il avait prononcé le mot « malhonnête » elle put mesurer l'étendue de son désenchantement. L'avocat ne guérirait jamais de son forfait. Elle savait qu'à dater de cet instant son univers de bourgeois intègre allait se dégrader progressivement. Pour le moment, il était en état de crise et le péril encouru masquait toute autre préoccupation. Mais bientôt, lorsque le calme reviendrait, un mal pernicieux, mystérieux et implacable, se développerait en lui.

— Vous m'en voulez ? demanda-t-elle.

— Je n'en veux à personne, assura l'avocat, pas même à moi-même.

— J'ai peur que, plus tard...

Il lui sourit de nouveau et cette fois ce fut un vrai sourire plein de bonté et de tendresse.

— Rassurez-vous : je vais m'empresser de

redevenir respectable ; je suis tellement fait pour ça.

— Qu'allez-vous faire lorsque nous serons partis ?

— Mais... rentrer chez moi, dit Gessler. Les bourgeois finissent toujours par rentrer chez eux.

Il rêvassa un moment. La tension devenait si pénible pour Lisa qu'elle se mit à regretter l'absence de Paulo.

— Vous n'avez jamais aperçu ma femme en venant à mon cabinet ? demanda-t-il.

Lisa secoua négativement la tête.

— Quand je l'ai épousée, dit l'avocat, c'était une belle fille blonde et appétissante. Pendant vingt ans je l'ai regardée grossir, je l'ai regardée vieillir. J'avais l'impression... Je ne sais pas : que cela signifiait quelque chose ; que cela conduisait quelque part. Et puis non ! L'assiette qui tourne au bout d'un bâton de jongleur ne signifie rien non plus. Je suis une assiette au bout d'un bâton, Lisa.

« Je tourne, je tourne... Le mouvement se ralentit progressivement. Un jour je tomberai et me briserai.

Il rabattit d'un geste brusque le couvercle de la valise car la vue des vêtements l'incommodait.

— Vous avez remarqué les nombreuses plantes vertes qui prétendent orner mon appartement ?

— Oui. Elles sont belles, fit Lisa, sincère.

— Tous les matins, Lotte les essuie feuille après feuille avant de les arroser et de les gaver d'engrais mystérieux. Ce sont nos enfants. Nous avons eu des plantes vertes ensemble. Lotte et moi. D'autres ont des oiseaux, des chiens, des chats ou des poissons exotiques... D'autres ont des enfants ! Je vis dans une serre et, par instants, j'avais un peu l'impression de devenir végétal.

— Vous aviez ? souligna-t-elle, surprise par cet imparfait.

Il la prit aux épaules. Personne n'avait jamais mis ses mains ainsi sur les épaules de Lisa. C'étaient des mains sûres et ferventes.

— Lisa, je ne sais pas si nous réussirons l'évasion de votre Frank, mais je peux assurer que nous avons réussi la mienne.

Une musique hystérique éclata tout à coup. Ils sursautèrent et se tournèrent vers Paulo qui venait d'entrer en balançant à bout de bras un transistor en marche. Le poste ronflait à plein régime, au paroxysme de ses possibilités. Paulo jeta un regard coagulé sur le couple. Il fixait les mains blanches de Gessler toujours posées sur les épaules de Lisa.

Les mâchoires crispées, Paulo referma la

porte vitrée d'un coup de talon. Les carreaux fêlés chantèrent. Grincheux, le petit homme s'avança, posa le poste de radio sur le bureau et rendit à Gessler ses clés de voiture. Gessler avait retiré ses mains, Paulo montra le poste.

— Il a une bonne sonorité, dit-il, on sent que c'est *made in Germany !*

Gessler coupa le contact et l'appareil redevint silencieux.

— Il est inutile de le faire marcher maintenant, trancha l'avocat.

— Vous croyez qu'ils sont dans le tunnel, maintenant ? demanda Lisa.

Gessler regarda sa montre.

— C'est possible.

— C'est dans le premier ou dans le second ascenseur que ça doit se passer ? demanda-t-elle.

— Dans le second, c'est-à-dire dans celui de la remontée. Il était préférable de leur laisser traverser le fleuve, sinon, en cas d'anicroche, ils se seraient fait bloquer dans le tunnel.

L'allumette avait diminué de moitié entre les dents du garde.

Le chauffeur avait lâché son volant afin de pouvoir croiser ses jambes boudinées. Acagnardé contre la porte dans une pose très abandonnée, il considérait son compagnon d'un œil amusé.

— Tu ne fumes plus, c'est vrai ! remarqua-t-il.

Les grilles du deuxième ascenseur venaient de se refermer sur le fourgon et l'énorme cabine d'acier remontait le véhicule dans un mouvement lent et si doux qu'il n'était presque pas perceptible.

— J'ai de l'asthme, fit le garde en crachant une brindille d'allumette.

Sur ses genoux, la mitraillette noire scintillait à la clarté du tableau de bord.

— Tu le savais, toi, qu'on aurait une escorte ? demanda-t-il.

— Non, mais ils ont dû décider ça à cause du tunnel... Pour le cas où...

Il n'acheva pas. La portière contre laquelle il était appuyé venait de s'ouvrir brutalement ; déséquilibré, le gros garçon blond bascula en arrière. Il eut la vision fulgurante d'une matraque brandie, puis il sombra dans l'inconscience. Son compagnon avait commencé de rire, croyant que c'était à la suite d'un faux mouvement du chauffeur que la portière s'était ouverte. Il plongea en avant pour tenter de le retenir mais sa propre portière s'ouvrit à la volée et une main preste lui arracha la mitraillette.

— Ne bouge pas ! fit une voix.

Le garde se redressa et aperçut l'un des motards qui le couchait en joue avec sa propre mitraillette. Quelque chose siffla.

Il voulut tourner la tête mais reçut un terrible coup de matraque et s'effondra sur la banquette.

— Collons-les sous le tableau de bord ! dit le matraqueur au second motard.

Ce dernier hocha la tête et, sans ménagement, fit basculer le garde inanimé sur le plancher du fourgon. De son côté, son camarade hissait le conducteur à l'intérieur du véhicule.

— Tu crois que nous pourrons tenir tous les quatre ? demanda Freddy.

Il parlait un allemand de cuisine qui, chaque fois, faisait ricaner le matraqueur.

— C'est nécessaire, répondit Baum.

Ils parvinrent à se loger dans la cabine du fourgon, malgré les deux corps qui l'encombraient. L'ascenseur venait de s'immobiliser et déjà les portes coulissaient, découvrant une population patiente, sagement canalisée.

Le liftier, un vieil invalide à cheveux blancs, leur adressa un aimable hochement de tête lorsqu'ils passèrent.

— Maintenant remue-toi, mon pote, lâcha Freddy; quand ils vont trouver les deux motos toutes seules, ça va leur mettre la puce à l'oreille.

Baum appuya sur l'accélérateur. Le fourgon manquait de nerf.

— Ces moteurs diesel, c'est pas le rêve, dit Freddy en français.

— Was ? demanda son compagnon.

Freddy négligea de traduire.

Le véhicule venait de se dégager du flot d'ouvriers massés devant l'entrée du tunnel. Une esplanade aux pavés mouillés, luisante et désolée sous la lumière de lampadaires trop hauts, s'offrait. Le conducteur prit à gauche. Les deux gardiens assommés geignaient faiblement sur le plancher de la voiture.

— Vos types sont vraiment à la hauteur ? questionna Paulo après un furtif regard à sa montre.

Les mâchoires de Gessler se crispèrent.

— Bien que ce ne soient pas « mes types », fit-il, j'en suis convaincu.

Paulo pressa ses poings l'un contre l'autre.

— Ce que je voudrais y être ! soupira le petit homme.

— Ce n'était guère possible, assura l'avocat avec un sourire méprisant : vous ne parlez pas l'allemand, et puis, comme vous le faisiez remarquer tout à l'heure, vous supportez mal l'uniforme.

Paulo fronça son gros nez constellé de vilains petits cratères.

— Bon, je descends rejoindre Walter à l'entrepôt pour l'aider à réceptionner ces messieurs.

Il prit l'escalier intérieur et fut surpris par l'odeur fade de l'immense local. Une odeur de cuir et de denrées périssables.

Lisa était assise au bureau et contemplait un calendrier imprimé en caractères gothiques. La gravure représentait une grosse fille blonde, plantureuse, et Lisa se dit que Mme Gessler devait ressembler à cela, jadis.

— Supposons que le fourgon cellulaire n'ait pas pris par le tunnel ? murmura-t-elle.

— Allons donc, sourit Gessler, le pont est à l'autre bout de la ville !

Il vit qu'elle se tordait les doigts. Il fut vaguement choqué.

— Vous l'aimez tant que cela ?

Le regard qu'elle lui jeta était celui de quelqu'un qu'on vient de réveiller en sursaut. Elle hésita et eut un furtif acquiescement.

— Vous ne lui avez absolument parlé de rien, n'est-ce pas ? demanda Lisa.

— Mais non : de rien.

— Pas même un sous-entendu ?

— Je lui ai seulement dit, lors de ma dernière visite, que vous continuiez à vous occuper de lui.

— Et comment a-t-il réagi ? demanda vivement la jeune femme.

— Ça fait cinq ans que je lui répète la même chose, il ne réagit plus !

Elle eut du mal à retrouver son souffle. Ce que lui disait Gessler la navrait.

— Parce qu'il ne vous croit pas ?

L'avocat secoua la tête.

— Est-ce que je peux savoir ce qu'il croit et ce qu'il ne croit pas ? Est-ce que je peux savoir ce qu'il pense ? Lisa, vous rappelez-vous sa tête au moment du procès ? Il regardait le plafond, comme si tout cela ne le concernait pas ; comme s'il s'ennuyait, et quand je lui ai traduit la sentence : détention à vie...

Il se tut, évoquant trop intensément cet instant pour pouvoir l'exprimer.

— Il s'est penché sur vous et vous a parlé, poursuivit Lisa.

— Savez-vous ce qu'il m'a dit ?

Elle secoua la tête d'un air interrogateur. Gessler fixa ses ongles bien taillés, puis tourna la tête vers sa compagne.

— Il m'a dit : « Maître, avez-vous connu cette salle d'audience avant la fissure qui est au plafond ? » Ç'a été tout. De sa condamnation, pas un mot !

Lisa acquiesça.

— Je pensais bien qu'il vous avait dit quelque chose de ce genre.

Gessler passa deux doigts entre son cou et le col de sa chemise. Il avait quelque peu grossi depuis quelque temps.

— Je n'avais jamais remarqué cette fissure, fit-il songeur. Maintenant je la regarde chaque fois que je pénètre dans la salle. Elle a gagné du terrain en cinq ans.

— Oui, cinq ans! répéta Lisa. Cinq ans...

Elle ouvrit la porte et s'en fut regarder au-dehors. Elle resta un bon moment sous la pluie, les mains crispées sur la rampe rouillée de l'escalier. L'eau qui giflait son visage calmait ses angoisses.

— Ne vous mouillez pas! lança Gessler.

Elle rentra.

— On ne voit rien, annonça-t-elle piteusement.

Gessler hocha la tête misérablement. Les grosses gouttes d'eau qui dégoulinaient sur le visage anxieux de la jeune femme lui faisaient penser à des larmes. Comme la pluie de Hambourg était belle sur la figure de Lisa!

— Qu'espérez-vous voir? soupira-t-il. Dès que l'auto surgira au tournant de Grevendamm, elle sera déjà dans l'entrepôt.

— Cette attente est effroyable car elle n'en finit pas. Quelle heure est-il?

— Bientôt la demie, dit Gessler sans consulter sa montre; les sirènes des chantiers ne vont pas tarder.

Lisa s'approcha du transistor et tourna le bouton. Une musique redondante déferla dans la pièce, les faisant sursauter l'un et l'autre. Lisa se hâta d'appuyer sur les touches sélectives du poste jusqu'à ce qu'elle obtînt un speaker, mais il ne s'agissait pas d'informations et, dépitée, elle finit par éteindre le transistor.

— L'éther est plein de bruits qui ne m'intéressent plus, remarqua-t-elle.

L'avocat s'assit en biais sur une chaise garnie d'un cuir râpé.

— Je me demande comment vous allez réagir en le voyant, dit-il.

— Je me le demande aussi, affirma Lisa en le regardant droit dans les yeux.

Elle ajouta, d'un ton peureux :

— Si je le revois...

Gessler envisagea un instant ce que serait la vie dans l'hypothèse d'un échec. Pouvait-il s'empêcher de le souhaiter confusément ?

— Vous le reverrez, promit-il...

Le conducteur regardait attentivement dans son rétroviseur.

— On ne voit rien ? questionna Freddy.

Baum secoua négativement la tête. Il avait un drôle de sourire qui ressemblait plutôt à une grimace. Il passa la main sous son derrière car quelque chose lui piquait les fesses et ramena l'allumette que mâchouillait le gardien avant l'agression du tunnel. Il l'expédia d'une chiquenaude par la portière ouverte. Il roulait à faible allure à cause des ouvriers qui déferlaient à contre-courant. Mais à un moment donné il prit une petite voie privée, fermée par une palissade et qui traversait un chantier en construction. Ce jour-là le chantier était désert et Baum avait pris la précaution d'écarter la palissade avant le coup de main. Cela lui permettait de gagner trois ou quatre cents mètres avant de rejoindre Grevendamm.

Lorsqu'ils débouchèrent sur cette voie encombrée, Freddy sentit que son cœur s'emballait. Il s'attendait à entendre murgir une sirène d'un instant à l'autre. Mais tout paraissait infiniment paisible et quotidien. Les deux hommes assommés remuèrent. Freddy les calma d'un coup de pied rageur.

— C'est pas le moment ! grommela-t-il.

Son camarade allemand sourit et prit à gauche dans une large impasse terminée par un quai de ciment servant au chargement des camions. Freddy vit les portes béantes de l'entrepôt et il découvrit la chétive silhouette de son ami Paulo, immobile derrière le rideau de pluie.

Il lui trouva l'air lugubre et fut frappé par son aspect rabougri. Paulo ressemblait à un vieux pommier épuisé. « Il a drôlement vieilli et je ne m'en étais pas aperçu », songea Freddy.

Le fourgon vira sec et pénétra dans l'entrepôt. L'ampleur du bâtiment décupla le ronflement du moteur. Baum coupa le contact et, tournant son visage lourd vers Freddy, il lui décocha un clin d'œil triomphant.

— Je commençais à me faire vioque ! dit Paulo en ouvrant la portière, tout a bien carburé ?

— Au poil, assura Freddy, comme dans les rêves qui réussissent !

Il descendit et montra les deux hommes recroquevillés dans la cabine.

— Occupe-toi de ces clients, dit-il.

Un acolyte de Baum qui attendait dans l'entrepôt venait de faire coulisser les lourdes portes bardées de fer. Freddy fut comme chaviré par un intense sentiment de sécurité. Après la tension des minutes qu'il venait de vivre, la pénombre et le silence de sanctuaire de l'entrepôt lui faisaient l'effet d'un bain tiède. Pendant le court trajet à bord du fourgon il avait récupéré la clé des portes arrière dans la vareuse du garde. Il ouvrit le fourgon. Un étroit couloir éclairé par la lumière blafarde d'un plafonnier lui apparut.

Un garde en uniforme était assis au fond du couloir sur un strapontin. L'homme tenait une mitraillette entre ses genoux. Il considéra Freddy avec incertitude et se leva. Freddy lui sourit. Le garde fit trois pas, et c'est alors seulement qu'il aperçut l'entrepôt. Freddy l'attrapa par une jambe et tira. L'homme bascula en arrière. Freddy le sortit à demi du fourgon tandis que le garde essayait de récupérer sa mitraillette. C'était une lutte bizarre, calme et sauvage.

Walter, le second Allemand de l'expédition, celui qui avait attendu dans l'entrepôt, s'avança, tenant une énorme clé anglaise à la main. Il écarta Freddy d'une bourrade et plaça un terrible coup de clé sur le front du garde. Cela fit un bruit hideux. L'homme fut foudroyé. Freddy n'avait jamais vu assommer un type d'une manière aussi expéditive.

Il existait trois cellules de chaque côté du couloir qui partageait le fourgon.

— Hello, Franky! lança-t-il, annonce la couleur!

Il y eut quelques secondes d'un silence glacé. Freddy sentit un frisson le long de son échine, lorsqu'il se dit que Frank n'était peut-être pas dans la voiture. Quelques coups sourds firent vibrer la première porte de droite, lui redonnant espoir. Il enjamba le cadavre du garde et actionna le verrou qui la fermait. Il découvrit un homme d'une trentaine d'années, sagement assis dans l'espèce de niche-cellule. Une faible lumière grisâtre éclairait mal le visage du détenu. C'était bien Frank. Un Frank aussi impassible et élégant qu'autrefois.

— Terminus! lui lança joyeusement Freddy.

Frank se leva sans hâte et sortit de sa prison roulante, aussi nonchalamment qu'on descend d'un autobus. Il regarda autour de lui, calmement, presque sans surprise. Il vit venir Paulo, poussant devant lui les deux autres gardes avec le canon d'un revolver et le visage grave de Frank s'éclaira d'un léger sourire.

— Vous avez personne au c...? demanda Paulo à Freddy.

— Je ne pense pas.

— Faites vite grimper ces idiots à l'intérieur ! hurla Baum.

— Qu'est-ce qu'il dit ? demanda Paulo.

Puis, par-dessus l'épaule, il lança à Frank :

— Prends l'escalier, Frank, elle est en haut !

Frank s'engagea dans l'escalier sans se retourner.

Lisa se prit la tête à deux mains. Elle n'aurait pas cru que sa joie pût être aussi intense. Elle avait du mal à retenir un cri féroce.

— Ils ont réussi, balbutia-t-elle.

Puis, se jetant sur Gessler, elle blottit sa tête contre la poitrine de l'avocat. Gessler resta immobile, bras ballants, n'osant l'étreindre.

— Oh ! merci ! merci ! merci !

Elle n'osait aller à la rencontre de l'arrivant. Elle ne savait comment s'y prendre pour vivre cet instant extraordinaire. Un instant qu'elle avait attendu, voulu, préparé minutieusement, jour après jour, cinq années durant.

— Vous voici enfin heureuse, dit Gessler.

Il se tut pour tendre l'oreille. D'en bas montait un remue-ménage inquiétant. On lançait des ordres en allemand et en français.

— Aidez-moi à foutre le convoyeur à l'intérieur! criait Paulo de sa voix qui devenait glapissante lorsqu'il la forçait.

— Mais comment! sursauta Gessler, ils les enferment dans le fourgon!

Il fonça vers la porte de l'entrepôt en criant en allemand :

— Arrêtez! Je ne veux pas! Je ne veux pas!

Il se trouva nez à nez avec Frank et se tut. Frank cligna des yeux à la lumière blafarde du bureau. Il portait un complet fatigué, mais qui avait conservé bonne allure. Il avait les cheveux coupés très court. Il était pâle et calme. Malgré les menottes entravant ses poignets, il conservait une attitude pleine d'aisance. Il s'arrêta pour regarder longuement Gessler. Pour la première fois il semblait réellement surpris.

— Bravo, fit-il. Je ne m'attendais pas à vous trouver ici!

Gessler ne dit rien, n'eut pas un signe de tête, et soutint froidement le regard de l'arrivant. Puis il continua sa course vers la porte et sortit précipitamment en criant :

— Débarquez les gardiens! Débarquez immédiatement les gardiens!

Lisa s'approcha de Frank et se mit à le serrer contre elle aussi fort qu'elle le pouvait. Toutes les sirènes des chantiers ululèrent soudain, et cela ressembla au salut qu'adresse un port à un navire victorieux. De ses poignets entravés, Frank risqua une timide caresse. D'en bas leur parvint un ronflement de moteur et les cris furieux de Gessler.

— Qu'est-ce qui se passe ? demanda Frank.

Elle ne répondit pas tout de suite, se demandant si le son de sa voix avait changé. Mais non, Frank avait toujours ce timbre un peu métallique et le même mordant.

Elle le regarda avec amour.

— La police ne doit pas trouver le fourgon ici. Alors ils vont le faire basculer à l'eau pour retarder les recherches.

Il approuva d'un hochement de tête.

— Avec les gars dedans ?

— C'est sur ce point que Gessler n'est pas d'accord.

— Et toi ? demanda Frank en fermant à demi les yeux.

— Tu es là, répondit-elle seulement.

Ils prêtèrent l'oreille. Une conversation véhémente, amplifiée par les échos de l'entrepôt leur parvenait. Elle avait lieu en allemand. Gessler ordonnait qu'on sortît les gardiens du fourgon, et Baum fulminait :

— Vous, l'avocat, fermez votre g... pour une fois !

— Ils ne veulent rien savoir, soupira Lisa.

Frank la dévisagea avec surprise.

— Tu comprends l'allemand !

— Moi aussi, je vis depuis cinq ans ici, répondit-elle.

Il s'écarta d'elle pour se laisser tomber sur la banquette. A cause des menottes qui l'entravaient, il tenait ses bras allongés sur ses genoux.

— C'est vrai, Lisa, fit-il.

Elle le rejoignit et lui caressa la nuque, se grisant du contact de sa chair. Frank avait une peau douce et tiède.

— Nous avons tout de même existé sous le même ciel pendant tout ce temps, chuchota-t-elle, tu y pensais ?

— Oui, j'y pensais.

Gessler revint, tête basse, l'air infiniment accablé.

— Ils sont repartis avec les gardiens ? demanda-t-elle tristement.

Il hocha la tête. Elle le trouva vieux et le revit derrière son lourd bureau de bois noir, dans l'attitude qu'il avait la première fois qu'elle était allée lui rendre visite. Au milieu de ses livres dont les titres gothiques flamboyaient, il lui avait fait un peu peur. Une atmosphère un peu funèbre régnait dans son cabinet de travail. Elle n'avait aimé ni la touffeur de cette pièce ni la lumière versicolore tombant des hautes fenêtres garnies de vitraux. Elle n'avait pas aimé non plus Gessler dont le visage blême et attentif déroutait.

— Vous allez avoir des remords, maître, ironisa Frank.

Gessler se reprit.

— Il vaut mieux avoir des remords que des regrets, dit-il.

— Vous n'aviez donc pas prévu cette conclusion pour mes gardiens ?

— Non.

— C'est cependant la plus logique, assura Frank.

— Oui, sans doute.

Des pas résonnèrent dans l'escalier. Paulo et Warner entrèrent.

— Et voilà le travail ! lança Paulo surexcité.

— Maître Gessler ne le trouve pas très joli, dit Frank.

— A cause ? fit Paulo d'un ton pincé.

Puis, réalisant :

— Ah ! Les gardiens ? Vous savez, ajouta-t-il en se tournant vers l'avocat. Les témoins, ça ne fait joli que dans une noce !

Il haussa les épaules et se tournant vers Frank lui mit la main sur l'épaule.

— J'ai même pas eu le temps de te dire bonjour, Franky. T'as à peine changé, assura-t-il. Si pourtant, un peu... En bien. Tu t'es « fait », quoi !

— Je me serais aussi bien fait ailleurs, tu sais, riposta Frank.

Quelque chose dans le ton de sa voix fit sourciller Paulo. Quelque chose qui ressemblait à de l'irritation. Il avait imaginé les retrouvailles autrement et faillit le dire à Frank.

Frank brandit ses poignets enchaînés.

— Pendant que vous y êtes, les gars !

Paulo fit la grimace.

— M... ! grommela le petit homme, dans la précipitation on n'a pas pensé à ça.

Il poussa Warner du coude.

— Hé, t'as la clé du cabriolet, Grosse Tronche ?

Warner était un grand garçon blond avec une figure bête et rieuse. Il n'avait guère plus de vingt ans. Comme il ne comprenait pas le français, il se tourna vers Gessler pour lui demander de traduire. L'avocat répéta la question de Paulo. Warner secoua la tête.

— Elle sera restée dans la poche du convoyeur, soupira Paulo. On ne peut pourtant pas engager un scaphandrier pour aller la repêcher. Heureusement que Freddy sait bricoler ; y a qu'à l'attendre...

Le fourgon cahotait sur des tronçons de rail. Baum le pilotait lentement à travers un chantier abandonné que les mauvaises herbes envahissaient. Les ruines d'un bunker à sous-marins bombardé cernaient le chantier. Depuis la rive d'en face on ne pouvait voir ce qui s'y passait.

Un tronçon de chenal subsistait, empli d'une eau brune et fangeuse à la surface de laquelle s'étalaient des auréoles moirées de mazout. L'Allemand pilota le fourgon jusqu'au bord extrême du chenal. Une fois à l'arrêt, il braqua les roues dans le sens de l'eau et desserra le frein à main. Puis il sauta de son siège et Freddy se coula sur la banquette pour emprunter le même chemin, car il ne pouvait descendre par l'autre côté puisque le fourgon surplombait le chenal.

A l'intérieur du fourgon, le chauffeur et le garde criaient comme des perdus en cognant contre les parois.

— On va leur administrer un tranquillisant, ricana Freddy.

Il regarda autour de lui. La nuit était presque tombée et ils se trouvaient isolés dans une vaste zone d'ombre hérissée de blocs de ciment dont l'armature pointait comme des os.

— On y va ! fit-il à son compagnon.

Baum acquiesça. Ils se placèrent à l'arrière du gros véhicule et se mirent à pousser. De l'autre côté des portes, les deux hommes enfermés s'évertuaient. Leurs coups de pied se répercutaient dans les bras de Freddy. C'était une impression désagréable et il avait hâte d'en finir. Malgré leurs efforts, le fourgon ne bougea pas d'un centimètre. Freddy retourna à la cabine. Il vit que la voiture était restée en prise et débloqua en jurant le levier de vitesses.

— Tu es une vraie truffe ! dit-il à Baum.

Ils se remirent à pousser. Cette fois, le fourgon se déplaça mollement, sans opposer de résistance. La roue avant droite se trouva au-dessus du vide et la voiture oscilla. A l'intérieur, les hommes avaient pris conscience de ce déséquilibre et ils se turent.

— Maintenant un bon coup de reins ! décida Baum. Ein, zwei, drei !

Le fourgon bascula. Il y eut un « plouff » énorme assorti d'un bruit de claque. L'auto noire ne coula pas tout de suite. Elle resta un instant sur le flanc, pareille à un cétacé échoué. L'eau entrait en bouillonnant par tous ses orifices. A l'intérieur, les gardes s'étaient remis à hurler, mais cette fois, leurs cris ne contenaient plus de colère. C'étaient des cris de terreur. Ils venaient de comprendre et une sorte d'hystérie s'emparait d'eux.

Inquiet, Baum examina les environs. Freddy le rassura d'un hochement de tête.

— Non, lui dit-il, à cinquante mètres ça ne s'entend plus. Et puis il n'y en a pas pour longtemps.

Le fourgon s'enfonça et disparut dans l'eau sombre.

— C'est vachement profond ce truc-là, admira Freddy. C'est vrai qu'on ne remise pas des sous-marins dans une cuvette, hein ! Il se pencha au-dessus du chenal pour regarder et poussa un juron. Une lumière bizarre brillait au fond de l'eau.

— Espèce de c... ! aboya-t-il en secouant Baum par le bras, t'as oublié d'éteindre les phares, regarde !

Baum se pencha à son tour. Il trouva l'effet joli et sourit.

— Ça ne va pas briller très longtemps, assura-t-il.

Ils tendirent l'oreille et crurent percevoir

encore des cris. Cela semblait parvenir d'un autre monde.

— Le couloir du fourgon ne doit pas être tout à fait plein, expliqua-t-il à son camarade, comme ça, nos petits copains auront le temps de faire leur prière.

Il s'étira et respira profondément l'air humide. Le chantier sentait le bois pourri.

— Tu veux une cigarette, Frank ? demanda Lisa.

Il accepta d'un hochement de tête et allongea ses pieds sur le bureau.

— Où font-ils basculer la voiture ? questionna-t-il.

— T'inquiète pas, s'empressa Paulo, ça se passe dans un endroit étudié pour. Ça fait huit jours qu'on l'avait repéré. D'ici qu'on la repêche, de l'eau aura coulé sous le pont !

Il rit. Mais sa joie était factice et ne trouva pas d'écho. Lisa alluma une cigarette et la glissa entre les lèvres de Frank. Gessler lisait l'amour de la jeune femme pour l'évadé dans ses moindres gestes.

— Ils s'y sont pris comment ? poursuivit Frank. Dans mon carrosse, je ne me suis rendu compte de rien.

Ce fut Gessler qui donna les explications. Il

avait besoin de sortir de sa louche torpeur. Il devait réagir, lutter...

— Le fourgon cellulaire devait emprunter l'Elbtunnel. Un ascenseur descend les véhicules.

— En effet, j'ai senti.

— Deux faux motards sont entrés en même temps que le fourgon dans l'ascenseur.

— Dont Freddy, précisa Paulo avec orgueil, comme si l'exploit de son ami l'auréolait d'un prestige délicat.

— Pendant la remontée, continua Gessler, ils ont neutralisé le chauffeur et le garde qui l'escortait.

— Ni vu ni connu, exulta Paulo. Si ça se trouve, il s'écoulera plusieurs heures avant que l'alarme soit donnée.

Frank appréciait la simplicité et l'efficacité du plan. C'était du beau travail.

— Et la suite du programme ? demanda-t-il.

Il s'était adressé à Gessler.

— A sept heures et demie, un cargo va remonter le fleuve à destination du Danemark ; vous embarquerez tous.

Lisa ouvrit la valise.

— Il y a là un uniforme à ta taille et de faux papiers.

Frank regarda les hardes d'un œil pensif.

— Et s'il y avait du pétard dans le secteur au moment de l'embarquement ? demanda-t-il.
— Prévu aussi ! assura fièrement Paulo.
— Oui, dit Lisa ; nous nous entasserions dans une immense caisse qui nous attend sur le quai d'embarquement de cet entrepôt.
Paulo montra Walter d'un hochement de tête.
— Lui et son copain, ils nous chargeront tous les quatre à bord du barlu avec une grue ; c'est plaisant, non ?
Jusque-là, Frank n'avait accordé que peu d'attention à Walter.
— Qui sont ces types ? questionna-t-il.
— Des spécialistes. Et crois-moi, ils en connaissent un brin sur la question. Avec eux on ne bavarde pas : on agit ; d'ailleurs tu as pu t'en rendre compte.
— Et où les avez-vous dénichés, ces spécialistes ? insista Frank.
— C'est Me Gessler qui nous les a procurés, expliqua Lisa.
Frank adressa une petite courbette à son avocat.
— Eh bien, maître, plaisanta le garçon, vous avez de curieuses relations.
— C'est mon métier qui le veut, riposta Gessler. J'ai défendu un roi de la pègre dernièrement. C'est à lui que j'ai adressé Lisa.

Frank tressaillit en entendant Gessler employer le prénom de Lisa. Il les regarda alternativement en sifflotant entre ses dents, puis lâcha tout de go :

— Merci, maître.

Il ajouta avec un sourire tout en dents :

— Vous cachez bien votre jeu !

— C'est son métier de donner le change, fit Paulo.

— Vous paraissiez plus sévère encore que mes geôliers, affirma Frank sans lâcher Gessler des yeux. J'étais loin de me douter que vous me feriez évader.

— J'étais loin de m'en douter aussi, riposta durement l'avocat.

Il y eut une période de silence. Lisa passa derrière Frank et noua ses deux bras autour de son cou.

— Je n'ai pas voulu qu'on te prévienne afin de t'éviter une désillusion pour le cas où ça aurait raté.

— Tu comprends, expliqua Paulo, il fallait attendre l'occasion. Ce transfert, tu parles d'une providence !

Gessler boutonna son vêtement :

— Je souhaite que cette providence se manifeste au moins jusqu'à Copenhague, dit-il. Je vais vous laisser ; il vaut mieux que je ne m'attarde pas trop ici. Surtout soyez prêts à sept heures et demie. Le cargo ne pourrait pas attendre, car les services des douanes ferment à ce moment-là.

Il prit ses gants de cuir noir dans sa poche, en enfila un tout en considérant le couple et ajouta :

— Bien entendu, le commandant du bateau est au courant. Bonne chance !

— Hé ! ça ne se dit pas ! protesta Paulo.

— Excusez-moi.

Frank se leva.

— Vous n'avez pas peur que les flics vous cherchent des histoires ?

— C'est un risque à courir, dit Gessler.

Ils se dévisagèrent comme deux personnes qui ne se connaissent pas et qui doivent conclure un accord.

— Merci pour tout, maître, murmura Frank en tendant ses mains enchaînées.

Gessler serra rapidement les mains de Frank et se tourna vers la jeune femme. Il vit qu'elle pleurait et il ressentit une curieuse brûlure au fond de sa gorge.

— Monsieur Gessler, balbutia-t-elle.

Mais elle ne put en dire davantage. Il lui adressa un petit geste vague pour lui faire comprendre qu'il était inutile de parler.

— Comment appelez-vous, en France, ces

plantes aux feuilles découpées qui sont si décoratives ? demanda-t-il.

— Des philodendrons, murmura Lisa.

Gessler hocha la tête.

— Nous en avons un magnifique à la maison. Il nous donne quatre belles feuilles par an et il envahit tout l'appartement.

Sa phrase ressemblait à un message en code. Elle contenait un sens secret qui échappait à Paulo et à Frank. L'avocat cueillit la main inerte de Lisa et la porta à ses lèvres. Puis il la lâcha et sortit sans se retourner. Tous trois le regardèrent disparaître.

— Il aurait pu me dire au revoir à moi aussi, fit Paulo, j'existe !

Puis, d'une voix hargneuse, il questionna en se tournant vers Lisa :

— Qu'est-ce qu'il débloque avec ses philodendrons ?

Elle ne répondit pas. Frank tira sur sa cigarette et expulsa une grosse bouffée bleutée.

— Excusez-moi de ma franchise, reprit Paulo, mais j'aime pas beaucoup ce mec-là. C'est dur d'avoir de l'antipathie pour les gens qui vous font du bien, vous ne trouvez pas ?

Il ne reçut aucune réponse. Il se rabattit sur Warner et chercha quelque chose à lui dire, mais il ne parlait pas un mot d'allemand.

L'Allemand lui sourit gentiment.

— Si t'étais pas si c... tu causerais français ! lui dit Paulo.

Le sourire de Warner s'agrandit.

***

— Frank, mon amour !

Il releva la tête. Jadis, elle lui disait des mots tendres, certes, mais sans employer jamais le mot amour. Un jour il lui en avait fait la remarque et elle avait eu du mal à s'expliquer. Pour elle, amour était un mot vénéneux qui l'effrayait.

— Je finissais par croire que nous ne nous reverrions jamais, Frank. Tu me trouves changée ?

Il la regarda lourdement, avec une pointe d'insolence qui effraya Lisa.

— C'est curieux comme on imagine les gens quand on reste cinq ans sans les voir, finit-il par murmurer.

Paulo se sentit de trop.

— Je me demande ce que foutent les autres avec leur fourgon, fit-il en se dirigeant vers l'entrepôt. On descend voir ? proposa-t-il à Warner. Et comme l'autre ne bougeait pas, il demanda :

— Dites, Lisa, comment dit-on : viens mon pote, en allemand ?

Lisa dit à Warner d'accompagner Paulo et les deux hommes sortirent. Lorsqu'elle fut seule avec Frank, au lieu d'éprouver du soulagement elle ressentit au contraire une confuse angoisse.

— Comment m'imaginais-tu ? demanda la jeune femme.

— Comme tu es, précisément, affirma Frank, et c'est cela qui me surprend. Tu corresponds trop à l'image que je m'étais faite de toi.

De ses mains entravées il lui caressa doucement le visage.

— Je me disais, commença-t-il.

Mais il se tut et ses yeux se dérobèrent.

— Tu te disais quoi, Frank ?

Il secoua la tête.

— Non, laisse, j'ai perdu l'habitude de parler.

Elle parcourut le visage de son amant du bout des lèvres, découvrant de nouvelles et imperceptibles rides. Il avait dû terriblement souffrir entre les murs de sa cellule.

— Qu'est-ce qui t'a le plus manqué pendant ces cinq années ? questionna Lisa avec un rien de coquetterie.

La question le fit réfléchir. Il sourit en coin et prit son petit air canaille pour murmurer :

— Je te le dis ?

Elle savait que ce serait décevant ; résignée malgré tout, elle soupira :

— Mais oui : dis !

— Les arbres, fit gravement Frank. Les arbres, Lisa !

Elle se demanda s'il était sincère ou s'il trichait. Il avait toujours eu des coups de lyrisme déconcertants. Par moments, cet être violent et froidement passionné sombrait dans une poésie factice et semblait vouloir s'y embaumer. Il ressortait de ces étranges dépressions plus dur et plus amer.

Cette fois-ci, il était sincère.

— Les arbres ? répéta Lisa.

Elle avait du mal à évoquer un arbre. Le mot s'était vidé de toute signification.

— J'ai mis cinq ans à apprendre ce que c'est qu'un arbre, déclara Frank. Maintenant je sais...

Il s'approcha de la verrière pour regarder au-dehors. Dans le soir mouillé, criblé de lumières malades, il ne découvrait aucune végétation.

— On n'en voit toujours pas, remarqua le garçon. Du fer, du béton, partout ! Les hommes tuent le monde.

Elle s'approcha de lui par-derrière et lui ceintura la taille. La joue appuyée contre le dos de Frank, Lisa chuchota d'une voix brisée.

— Oh ! Frank ! Dis-moi que c'est toi ! Que c'est bien toi !

— C'est moi, dit Frank.

— Au moment du procès, enchaîna-t-elle, je ne comprenais pas encore l'allemand. J'étais seule dans la salle. Quand on a rapporté le verdict je n'ai pas su tout de suite. C'est Gessler qui m'a appris un peu plus tard. Ces quelques minutes d'incertitude, Frank... Elles ont été plus longues que toute ma vie. Lorsque j'ai su que tu étais condamné à la détention perpétuelle...

Elle reprit sa respiration difficilement.

— C'est curieux, mais j'ai ressenti une espèce de soulagement.

Il rit.

— C'était pourtant le maximum, puisque la peine de mort est abolie ici.

Il ajouta hargneusement :

— Elle a tellement servi qu'elle s'était démodée.

— Il me semblait que ces affreux juges avaient le pouvoir de la rétablir pour toi.

— Eh bien ! non, tu vois : ils ne m'ont pas fait cet honneur.

Il quitta la verrière et s'assit. Il renversa sa tête en arrière pour regarder le plafond de fibrociment où des taches d'humidité inscrivaient des motifs surréalistes.

— Raconte ! murmura Frank.

— Quoi ?

— Ce que tu as fait pendant ces cinq années.

— Je t'ai attendu.

Il se remit d'aplomb et lui jeta un regard indéfinissable.

— Tu m'as attendu, tu m'as attendu... Mais puisque je ne devais jamais revenir !

— Quand on aime un homme comme je t'aime, Frank, il va toujours revenir !

Il ferma à demi les yeux, satisfait. Pendant quelques secondes, ce qu'il ressentit ressemblait à de la félicité.

— Fais voir, ta bouche !

Elle approcha lentement ses lèvres de celles de Frank et lui donna un intense baiser qu'il subit sans y participer, presque froidement. Devant cette totale absence de chaleur, elle recula et le regarda d'un air de reproche.

— Bonjour, Lisa, fit joyeusement Frank. Tu vois, c'est seulement maintenant que je te retrouve.

— Pourquoi ?

— Je ne sais pas. Jusqu'à présent ça n'était pas vraiment toi, mais plutôt un rêve de toi ; tu comprends ?

— Oui, je pense...

« Tu recevais mes lettres ? demanda-t-elle au bout d'un instant de silence.

Il fit un signe affirmatif.

— Pourquoi ne me répondais-tu pas ?

Frank haussa les épaules. Il ne tenait pas à

aborder ce sujet, du moins pas encore. Les femmes gâchent tout car elles sont toujours à contretemps. Il était beaucoup trop tôt pour aborder cette question. Par la suite ils auraient tout le temps d'y revenir, de s'expliquer...

— Réponds, supplia-t-elle, je t'en supplie, réponds.

— Je t'en voulais, assura le jeune homme.

C'était tellement inattendu qu elle demeurait figée à ses côtés.

— Tu m'en voulais ? répéta Lisa incrédule.

— D'être libre, expliqua Frank.

— Mais je n'étais pas libre, s'écria-t-elle, puisque tu étais en prison !

Frank tendit ses bras enchaînés vers elle.

— Regarde ! fit-il.

Lisa baissa la tête.

— Répète, maintenant, que tu n'étais pas libre !

Elle prit les poignets de son compagnon et les baisa l'un après l'autre.

— Moi, je n'étais pas prisonnière d'une cellule, mais d'une idée fixe, Frank. Te faire sortir de ce pénitencier ! Je me répétais jour et nuit : Des murs, ce n'est rien, puisqu'il est vivant derrière ! Je me promenais sur le port. Je regardais ces anciens abris pour sous-marins tout démantelés, eux qui avaient été si épais, si formidables, et je me disais : « Tout ce que font les hommes est si fragile que je dois pouvoir le sortir de là. Et je t'ai sorti de là ! cria-t-elle. Je t'en ai sorti, Frank !

Il cligna des yeux. Cela pouvait passer pour un merci.

— Tu vivais complètement à Hambourg ?

— J'allais de temps en temps à Paris.

— Pour prendre l'air ? demanda Frank avec sérieux.

— Pour garder le contact avec les autres. Je sentais qu'ils pourraient m'aider un jour.

— Les autres, rêva Frank. Qu'est-ce qu'ils sont devenus ?

Elle baissa le ton.

— Oh, sans toi, la bande... C'est comme un fagot quand on rompt la ficelle : tout fiche le camp. Ils se sont mis à bricoler chacun de son côté. Il n'y a que Paulo et Freddy qui ont continué ensemble ; et il n'y a qu'eux qui ont été gentils avec moi.

— Ah oui ! fit spontanément Frank.

Cette réaction réconforta Lisa. C'était une marque d'intérêt, une véritable reprise de contact avec la vie. Frank allait se remettre en route, doucement. Il ne fallait rien brusquer. Il était pareil à un moteur refroidi qu'on réanime précautionneusement, sans le pousser.

— Quand je leur ai dit qu'on pouvait tenter

quelque chose pour te faire évader, ils n'ont pas hésité ni fait une seule objection.

Frank approuva.

— Et Paris ? demanda-t-il.

— Quoi, Paris ?

— Quand je pensais aux arbres, c'étaient à ceux de Paris.

— Il y en a de moins en moins.

— Ah oui, le béton, murmura-t-il. Là-bas, comme ailleurs... Tu ne peux pas savoir le nombre de rues de Paris que j'ai découvertes dans cette prison de Hambourg. Des rues dont j'ignore les noms et où je ne suis passé qu'une fois, mais qui se mettaient à revivre dans ma mémoire, avec leurs petites boutiques et leurs volets gris. Des rues de Montparnasse, des rues de Neuilly, des rues d'Asnières, et puis des bars, des squares, le Parc des Princes. Même la Seine, comme sur les cartes postales. Quand on quitte Paris, on a des souvenirs de touriste.

— Comme c'est bon de t'écouter, dit-elle, transportée. Vois-tu, Frank, même si nous nous faisons prendre, je crois que le moment que nous vivons... Tu comprends ?

— Oui, dit Frank, je comprends. Il faut savoir faire tenir toute sa vie à l'intérieur de quelques minutes.

— Tous les jours, fit-elle, j'allais rôder

autour du pénitencier. Je te l'ai dit dans mes lettres.

— Oui, tu me l'as dit. Je crois même qu'un jour je t'ai aperçue !

— C'est vrai !

— J'étais allé à l'infirmerie pour une blessure que je m'étais faite au doigt. Les vitres de l'infirmerie sont dépolies, mais il y avait une fente dans le carreau.

Il rêvassa.

— Oui, je crois que c'était toi. Tu as un manteau vert ?

— Non, dit Lisa.

— Alors ce n'était pas toi. C'est bête d'avoir charrié cette silhouette pendant des mois en lui donnant ton visage, Lisa...

Il la regarda et chuchota :

— Ton beau visage...

Le préposé de l'ascenseur serra la main de son collègue et s'en fut chercher sa bicyclette dans le cagibi réservé au personnel. Il enfila un long imperméable noir, mit ses gants de laine tricotés, et retourna à l'ascenseur, mais en qualité d'usager cette fois.

— A demain, lui lança son collègue.

Le préposé qui venait de quitter son service était un vieil homme bouffi. Il lui manquait une jambe depuis la dernière guerre et il se servait d'un vélo spécial, à roue fixe, qui ne comportait qu'une seule pédale. Il descendit avec les ouvriers, sagement entassés sur les trottoirs de l'ascenseur, le centre de la cabine étant occupé par les véhicules à moteur.

Une fois en bas, il laissa sortir tout le monde, car c'était un homme consciencieux qui se sentait toujours en service. Lorsqu'il fut seul, il s'avança vers la grille béante, et c'est à cet instant qu'il découvrit les deux motocyclettes noires alignées sur l'un des trottoirs. Surpris, il regarda autour de lui, ne vit personne et s'approcha des deux machines. Ces dernières étaient des motos d'occasion fraîchement repeintes. Le vieil homme sortit enfin de l'ascenseur et traversa le tunnel en pédalant laborieusement. Lorsqu'il émergea du second ascenseur, au lieu de s'éloigner, il gagna le bureau où les employés se chauffaient autour d'un gros poêle de faïence.

— Il y a deux motocyclettes abandonnées dans l'ascenseur de la rive gauche, annonça-t-il.

Ses collègues cessèrent de parler et le considérèrent avec des yeux incrédules. Il arrivait tous les jours qu'on ramenât au bureau des objets perdus, mais ceux-ci étaient de faibles dimensions. Il s'agissait de gants, de pompes à vélo, de sacs ou d'écharpes. Jamais encore on n'avait découvert deux motocyclettes.

— Dites, père Kutz, vous avez des visions ! ricana le chef.

Le mutilé haussa les épaules.

— Deux motocyclettes noires, fit-il. Allez-y voir.

Et il repartit en refermant doucement la porte vitrée. Sa pauvre silhouette s'anéantit derrière l'écran de buée. Les employés en service considérèrent leur chef avec incertitude. Ce dernier décrocha le téléphone et appela l'autre rive pour demander confirmation.

— Ça a dû coûter cher, non ? questionna Frank.

— Quoi donc ? demanda Lisa.

— Mon évasion. Ils sont gourmands, les mercenaires allemands ?

— Cent mille marks, dit Lisa d'un ton négligent.

Frank émit un léger sifflement. Puis il attendit un peu avant de demander avec une certaine gêne :

— Que tu t'es procurés comment ?

Lisa eut un hochement de menton :

— Paulo et Freddy, expliqua-t-elle laconiquement.

Frank faillit répondre quelque chose, mais un certain remue-ménage en provenance de l'entrepôt l'en empêcha.

Il y eut quelques exclamations en allemand, puis des pas nombreux retentirent dans l'escalier conduisant au bureau. Paulo, Freddy, Baum et Walker débouchèrent à la queue leu leu. Freddy et Baum portaient leurs uniformes de motards : longs cirés noirs et casquettes plates.

— Fin du deuxième épisode! annonça Freddy.

— Tout s'est bien passé ? hasarda Lisa.

— Ce fourgon avait si peu d'ouvertures qu'il n'en finissait pas de flotter expliqua Freddy. Alors on a attendu. Figurez-vous que M. Ducon (il montra Baum) a oublié d'éteindre les phares avant la culbute. Ils continuent de briller sous l'eau, c'est féerique.

— Mince, déplora Paulo, ça ne risque pas d'attirer l'attention ?

— Il faudrait que quelqu'un aille vadrouiller au bord du chenal, y a aucune raison pour. Et puis, ils ne vont pas briller jusqu'à la saint Trou !

Tout en parlant, Freddy s'était débarrassé de son ciré luisant. Il s'approcha de Frank, rayonnant de joie et d'orgueil.

— Je suis rudement content de te revoir, Franky, dit-il.

— Pareillement, répondit Frank.

Lisa devina à sa voix que ses rapports avec Freddy étaient moins chauds que ceux qu'il entretenait avec Paulo.

— Freddy, balbutia Lisa.
— Yes, Madame ?
— Et les gardiens ?
Freddy sourit.
— Ils font des bulles.
Paulo lui toucha le bras et, désignant les menottes de Frank à son camarade, il sollicita :
— Toi qui as des dons !
Freddy prit une expression quasi professionnelle et examina les menottes comme un médecin examine une blessure.
— Il me faudrait un tournevis, dit-il.
Paulo inventoria les tiroirs du bureau.
— Alors, Frank, comment te sens-tu ? murmura Freddy, surpris par le mutisme de l'évadé.
— Admirablement, répondit Frank.
L'acier froid des menottes ne s'était pas réchauffé et lui cisaillait les poignets. Il les avait bien supportées jusqu'alors, mais soudain ces cabriolets lui devenaient intolérables. Cela relevait de la claustrophobie. Ils représentaient encore les quatre murs de sa cellule.
— Tu ne t'attendais pas à celle-là, hein ? insista Freddy.
— Non, admit Frank, ç'a été une bonne surprise.
— Ça t'irait, ça ? fit Paulo en revenant avec un couteau et une petite clé à molette.

— Donne toujours, répondit dédaigneusement Freddy.

Il s'empara des outils et s'assit sur une chaise face à Frank. Leurs jambes étaient emmêlées. Les deux Allemands, intéressés, se rapprochèrent pour suivre l'opération.

— Louis XVI enfant ! gouailla Paulo à l'intention de Lisa.

Mais Lisa ne rit pas. Elle avait hâte d'embarquer à bord du cargo. Les périls n'étaient pas encore conjurés et elle sentait dans l'air les prémices d'une menace.

— Vous n'avez rien remarqué d'anormal dans le voisinage ? demanda-t-elle à Freddy.

— Non, assura ce dernier, rien. Les gars des chantiers rentrent frictionner leurs grosses madames et bouffer leurs kartofels.

Il respirait d'une manière saccadée à cause de la délicatesse de sa manipulation. De la sueur perlait à son front. Tout à coup il s'emporta et cria aux Allemands penchés sur eux :

— Bon Dieu ! reculez-vous un peu, c'est pas télévisé !

Les deux hommes hésitèrent.

— Ecartez-vous pour que j'y voie clair, leur traduisit Freddy.

— Surtout que c'est du travail d'orfèvre, admira Paulo.

Frank, à bout de nerfs, retira ses poignets et respira profondément pour se détendre.

— T'impatiente pas, Franky, fit gentiment Freddy, je tiens le bon bout ; mais tu sais qu'elle est coriace, cette p... de serrure !

Lisa caressa les mains crispées de son amant. Elle était effrayée par leur blancheur. On eût dit des mains de cire. Sans un mot, Frank les présenta à nouveau à Freddy. Freddy tirait la langue avec une application forcenée de jeune écolier apprenant à tracer des boucles.

— Ça y est ! triompha-t-il enfin.

Il fit jouer à rebours les crémaillères des cabriolets et ôta les menottes. Frank se leva en écartant les bras de son corps dans une sorte d'envolée superbe. Puis se massa longuement les poignets. Les autres le regardaient, attendris, réalisant l'importance de cet instant. Soudain, avec une promptitude et une violence inouïes, Frank se mit à gifler Freddy. Sous la grêle de coups, Freddy bascula de sa chaise et se retrouva allongé sur le sol. Frank marcha sur lui et Freddy mit ses bras autour de sa tête pour se protéger.

— Mais, Frank, balbutiait-il, mais, Frank...

Les autres regardaient, médusés. Lisa se précipita sur Frank pour l'empêcher de massacrer leur camarade.

— Frank! hurla la jeune femme. C'est honteux!

Frank s'immobilisa et regarda Paulo. Le petit homme était blême. Il détourna les yeux pour marquer sa profonde réprobation. Frank se baissa au-dessus de Freddy, la main tendue et l'aida à se relever.

— Je te demande pardon, fils, dit-il doucement, mais ça fait cinq ans que ça me démange, je n'ai pas pu me retenir.

— Qu'est-ce que je t'ai fait? bégaya Freddy, penaud.

Il était fou d'humiliation. Ce n'était point tant les coups reçus qui lui faisaient honte comme la présence des Allemands goguenards.

— Hein, dis, qu'est-ce que je t'ai fait? insista-t-il.

— Si tu avais eu un peu moins les foies lorsque les flics ont débarqué dans cette boîte de Sant Pauli, je ne me serais sûrement pas tapé ces cinq années!

Freddy revit la scène : l'arrivée de la police, les uniformes noirs grouillant soudain dans la petite rue. Il avait encore dans l'oreille les cris et les sifflets.

— J'étais au volant de la bagnole, Franky, et toi à l'intérieur de la taule, qu'est-ce que je pouvais faire d'autre avec toute cette volaille?

— Tu n'as pas vu dans ton rétroviseur que je sautais par une fenêtre ?

— Non, fit sincèrement Freddy.

— J'ai cru que je pouvais rejoindre la voiture, commenta Frank, c'est pour ça que j'ai brûlé le flic qui s'interposait. Ensuite je suis resté planté comme un idiot au bord du trottoir... à regarder s'éloigner tes feux rouges. On se sent malin dans ces cas-là.

Cette explication rassura Freddy. Maintenant il comprenait la réaction de son complice. Elle lui paraissait logique et il s'en fallait de peu qu'il ne l'approuvât.

— Excuse-moi, Franky, dit-il, je n'avais rien vu. Je pédalais à cent quarante à l'heure dans la Reeperbahn ; à cette allure-là on ne regarde pas dans le rétroviseur, tu le sais bien !

Il haussa les épaules et se tourna vers les deux Allemands qui le dévisageaient avec ironie. Il marcha sur eux les poings blancs de rage.

— Et alors ! leur aboya-t-il dans le nez !

Les sbires cessèrent de sourire.

— Pourquoi l'as-tu frappé après ce qu'il vient de faire pour toi ! protesta Lisa.

Elle éprouvait une immense peine. L'attitude déprimée de Freddy lui faisait mal et elle n'aimait pas la rancune de Frank. Qu'il eût pensé à se venger avant d'exprimer sa reconnaissance à Freddy pour son abnégation et son courage la déprimait.

— S'il ne venait pas de faire ça pour moi, ce ne sont pas des gifles qu'il recevrait, rétorqua Frank. Tu m'en veux ? demanda-t-il à Freddy.

— Non, mais j'avais imaginé nos retrouvailles autrement !

Frank rit de son air penaud. Paulo rit aussi, d'un rire nerveux. Baum fut gagné par la contagion et explosa à son tour. Freddy bondit sur lui et lui plaça un crochet à la mâchoire.

— Toi, on ne t'a pas payé pour te foutre de ma gueule ! hurla-t-il.

Warner lui sauta dessus afin de soutenir son copain et il y eut une empoignade soignée, brève et violente.

— Frank ! Je t'en supplie, ne les laisse pas se battre ! supplia Lisa, épouvantée.

Frank bondit sur les deux antagonistes et les sépara avec beaucoup de maîtrise.

— Suffit ! lança-t-il.

Ils s'immobilisèrent, haletants, et se calmèrent.

— Quelle heure est-il ? interrogea Frank.

— Sept heures moins le quart, annonça Paulo.

Frank s'approcha de la verrière. Il avait hâte de voir le cargo accoster.

— Tu ne devrais pas te montrer ! conseilla Lisa. On ne sait jamais.

Frank fronça les sourcils.

— Tiens, une visite ! dit-il.

Il s'écarta de la baie et alla s'asseoir.

— Une visite ? grommela Paulo, inquiet, en allant à la verrière. A son tour il sourcilla.

— Qui est-ce ? demanda Freddy.

La silhouette de Gessler se dessina au-delà des vitres. L'avocat acheva de gravir l'escalier de fer. Paulo lui ouvrit la porte.

— Y a de la casse ?

Gessler paraissait morose.

— On procède à des contrôles de police devant le tunnel, expliqua-t-il. J'ai voulu prendre par le pont, mais il est barré également.

— Mon Dieu ! soupira Lisa. Ils ont déjà découvert l'évasion.

— Eh bien ! dites donc, ça n'a pas traîné, apprécia Paulo. Je les croyais plus lents que ça, les poulets chleuhs !

Les Allemands se mirent à questionner Gessler qui leur expliqua ce qui se passait. Ils ne perdirent pas leur sang-froid et l'écoutèrent attentivement. Warner consulta sa montre. Il fit un rapide calcul mental afin de comparer l'arrivée du cargo et le développement du dispositif policier.

— Ils vous ont vu ? demanda Frank.

Gessler hocha la tête.

— Je les ai vus avant qu'ils ne me voient.

— Vous êtes sûr ?

— Certain.

— Votre demi-tour n'a pas attiré l'attention ?

— Non.

Gessler ne semblait pas d'humeur à entrer dans les détails. Ses réticences contrarièrent Frank.

— Et votre voiture ?

— Je l'ai laissée dans le parking du chantier naval ; c'est encore là qu'elle passe le plus inaperçue.

Ils s'abîmèrent tous dans d'ardentes réflexions. Freddy le premier rompit le silence.

— Je ne comprends pas que vous ayez fait demi-tour, déclara-t-il catégoriquement.

— Vraiment ? fit l'avocat.

— Y a pas de raisons pour que les flics vous empêchent de passer !

— Il y en aurait de bonnes pour qu'ils remarquent mon nom : je suis connu.

— Ils ont l'air de vouloir fouiller le quartier ? s'inquiéta Paulo.

— Je n'ai pas eu cette impression.

Frank secoua la tête.

— Pour le moment, ils cherchent un fourgon cellulaire, trancha l'évadé. Ils ne risquent donc pas de grimper cet escalier, il faut être logique et ne pas s'emballer !

Ces paroles apaisantes tranquillisèrent Lisa.

— Tu devrais te changer, Frank, fit la jeune femme en montrant la valise.

Frank approuva.

— Vous restez ici, maître ?

Gessler fit un lent signe de tête affirmatif.

— C'est très imprudent, souligna Frank. Très imprudent. Supposez que... que la situation n'évolue pas favorablement...

L'avocat s'assit sans répondre. Il était infiniment morne, comme un homme qui a passé plusieurs nuits sans dormir et qui flotte dans un état second sans parvenir à s'en arracher.

Il jeta un coup d'œil à Lisa qui détourna la tête. Ce manège n'échappa pas à Frank dont le visage se durcit un peu plus. Il ouvrit la valise et en sortit l'uniforme.

Il hésitait à le revêtir. Ces hardes l'incommodaient. Il éprouvait une certaine nostalgie inavouable en songeant à son droguet de détenu.

— Alors ! tu le passes, ton beau costume marin ? gouailla Paulo qui devinait ses hésitations.

Frank quitta sa veste et se mit à dégrafer son pantalon. Au moment de l'ôter il s'interrompit pour regarder les autres. Seul Gessler s'était détourné.

— Je n'aime pas qu'on me regarde me déshabiller, lança le garçon.

Paulo et Freddy se hâtèrent de lui tourner le dos. Mais les deux Allemands qui n'avaient pas compris continuaient de le fixer tranquillement.

— Dites-le à ces deux idiots ! dit Frank.

— Il voudrait que vous vous détourniez, dit Lisa en allemand.

Warner et Baum hochèrent la tête et allèrent regarder par la verrière. Frank laissa tomber son pantalon et déclara en passant l'autre :

— Tu vois, Lisa, nous avons vécu cinq ans en Allemagne tous les deux. Toi, tu as appris l'allemand, moi pas !

— Pourquoi dis-tu cela ?

— Je constate. C'est vrai ou pas ?

— Pourquoi le constates-tu de ce ton hargneux, Frank ?

— Ce pantalon me gratte, dit Frank. C'est du drap dont on fait les couvertures de chevaux, non ?

— Quand on sera au Danemark, tu t'achèteras la tenue fantoche pour sortir en ville, plaisanta Paulo.

Il fut surpris de constater que sa boutade n'amusait personne.

— Vous pouvez vous retourner ! annonça Frank lorsqu'il eut enfilé la veste.

Ils abandonnèrent tous leur position discrète et Frank leur sourit à la ronde. Il paraissait tout à coup d'excellente humeur.

— Vous comprenez, s'excusa-t-il, j'ai perdu l'habitude d'être regardé. En taule, des habitudes, on en perd plus qu'on n'en prend !

Il bomba le torse et coiffa la casquette d'un geste rond.

— Je porte bien l'uniforme ?

— Tu fais marin, mais pas Allemand, remarqua Paulo. Vous ne trouvez pas, cher maître ?

— Mets la radio, Lisa, ordonna Frank en désignant le poste.

De nouveau, elle se mit à tourner le bouton chercheur, en quête d'informations. Mais elle n'en trouva pas et laissa l'appareil branché sur de la musique. Il s'agissait d'une valse viennoise au rythme durement marqué. Frank s'empara du passeport et murmura en le feuilletant :

— Au fait, je m'appelle comment ?...

Il trouva le nom et épela avec un très mauvais accent :

— Karl Lüdrich !

Gessler rectifia la prononciation.

— Si on vous demande votre nom et que vous l'articuliez de cette façon, vous aurez du mal à faire admettre que c'est le vôtre.

A plusieurs reprises, Frank répéta le nom,

corrigé chaque fois par Gessler. A la fin i
réussit à se le mettre en bouche et l'avocat lu
fit signe que ça pouvait aller. Frank empocha le
passeport.

— Que faisiez-vous pendant la guerre ?
demanda-t-il à son avocat.

Gessler releva la tête.

— J'étais officier, pourquoi ?

— En taule je n'ai jamais osé vous le
demander.

— Cela vous intéressait donc ?

— Vous avez fait la Russie ?

— Non, la Libye.

— Et pas la France ?

— La France également.

— Ça vous a plu, Paris ?

— Non.

— Pourquoi ?

— Parce qu'il était occupé. Je le préférais
avant la guerre, et je le préfère maintenant
C'est une ville si fragile...

Freddy, qui musardait dans un coin de l'entrepôt où s'amoncelaient des colis, se mit à
déchirer l'emballage d'un billard électrique

— Eh bien, moi, dit Frank, savez-vous ce que
je faisais pendant la guerre ?

— Que faisiez-vous ? demanda Gessler.

— J'étais au lycée ! Vous avez déjà eu des
bacheliers parmi vos clients ?

— Ça m'est arrivé, affirma l'avocat.

Frank parut dépité.

— Et moi qui croyais être un cas ! soupira-t-il.

L'inspecteur dépêché par le commissariat portait un manteau brun, trop long, et un vieux feutre défraîchi. Il examina les deux motocyclettes noires, nota leurs numéros et, se tournant vers les employés du tunnel, demanda :

— Quelqu'un se souvient-il d'avoir vu entrer les motocyclistes ?

Les interpellés s'entre-regardèrent avec des moues incertaines. Le plus jeune, un frêle garçon au visage criblé de taches de rousseur, déclara :

— Je ne vois que les policiers...

L'inspecteur tiqua.

— Les policiers ?

— Un fourgon cellulaire a pris le tunnel en fin d'après-midi. Deux motards l'escortaient...

L'hypothèse parut insensée à l'inspecteur.

— Des motards n'ont pas l'habitude d'abandonner leurs engins dans les ascenseurs ! déclara-t-il.

Les assistants éclatèrent de rire, à l'exception du jeune employé qui rougit.

— Je crois pourtant que c'est de leurs motos qu'il s'agit, insista-t-il, d'une voix qui s'étranglait.

Ses collègues le chahutèrent.

— Dis voir, Hans, tu n'aurais pas lu cette nuit un Kriminal Roman *qui te serait resté sur la conscience ?*

Ces sarcasmes donnèrent au jeune homme le courage d'exposer son point de vue.

— Quelque chose m'a surpris sur les motos de ces policiers, dit-il. En général, ils ont sur le guidon une plaque blanche avec le mot « Police ». Eux n'en avaient pas. Et puis leurs engins étaient plus petits que les motocyclettes réglementaires. Et puis...

— Et puis ? insista l'inspecteur.

— Et puis il manquait un garde-boue à l'une des machines. Et vous voyez : il en manque un à celle-ci.

— Vous me paraissez avoir un drôle d'œil, mon garçon, félicita le délégué du commissariat.

Hans rougit un peu plus. Ses collègues ne riaient plus.

— Ces motards escortaient un fourgon cellulaire, dites-vous ? reprit l'inspecteur.

— Oui.

— S'ils ont laissé leurs motos dans le second

ascenseur, ils ont dû sortir à pied, non ? Demandez des détails de l'autre côté.

Le chef décrocha son téléphone pour sonner la rive d'en face. Il regrettait d'avoir laissé le vieux liftier rentrer chez lui. Son témoignage eût été précieux. Au poste de contrôle de l'autre rive, on lui répondit qu'effectivement un fourgon cellulaire noir était bien sorti du tunnel vers six heures trente, mais qu'aucun motard ne l'escortait.

L'inspecteur bondit.

— Il y a du louche dans cette affaire, déclara-t-il.

Il composa le numéro de son commissariat et demanda à parler à son chef. Il était sept heures moins dix et la pluie s'était remise à tomber.

Freddy avait achevé de déballer le billard. Il le considéra avec un ravissement d'enfant.

— Mince, mais c'est un billard ! exulta-t-il.

— A la forme, t'aurais pu t'en douter si tu avais été un poil moins truffe ! fit Paulo.

Freddy déroulait fiévreusement le fil de l'appareil.

— Il y a une prise électrique par ici ?

Il fureta un instant le long du mur et découvrit deux prises dont l'une hébergeait la fiche du réflecteur de bureau.

Assis sur le bureau, le dos calé contre la valise vide, Frank étudiait Gessler du coin de l'œil. L'immobilité de l'avocat, son air lointain et indifférent le troublaient. Il avait l'impression qu'il lui était arrivé quelque chose pendant sa brève absence.

— Vous savez que j'ai été un excellent élève, reprit-il. J'enlevais tous les prix de français.

Lisa s'était retirée devant la verrière et regardait le port illuminé avec un peu de tristesse. Elle préférait laisser Frank à ses marottes. Sa liberté l'étourdissait un peu. Elle comprenait.

Gessler sortit la clé de contact de sa voiture et se mit à la faire tourniquer au bout de la chaînette du porte-clés.

— Lorsque je préparais votre défense, dit-il, je vous ai questionné sur votre jeunesse. Elle m'aurait fourni des arguments. Mais vous n'avez rien voulu me dire, non plus qu'au tribunal.

Frank réfléchit. Une moue amère déforma sa bouche.

— Ma jeunesse, soupira-t-il, je n'avais pas envie de la raconter à des bonshommes qui coiffaient un casque d'écoute chaque fois que j'ouvrais la bouche.

— Je comprends, dit Gessler.

Au fond de la pièce, Freddy martyrisait son billard flambant neuf dont les lampes ne s'éclairaient pas.

— T'as de la monnaie allemande, Paulo? demanda-t-il.

— Non, fit l'interpellé après avoir fouillé ses poches, j'ai que des gros talbins, because?

— Faut que je donne à bouffer à ce billard.

Il se pencha pour lire la plaque de cuivre vissée au-dessus du déclencheur.

— Qui est-ce qui peut me refiler une pièce d'un pfennig ? implora Freddy.

Baum sortit une pièce de sa poche et s'avança. Il l'introduisit dans l'appareil et le billard s'illumina et se mit à crépiter comme un feu de joie. Baum se mit à jouer sans s'occuper de Freddy.

— Eh bien, te gêne pas ; fais tes besoins, mon gars ! vociféra ce dernier. Tu parles d'un sans-gêne !

Paulo rit de sa mine déconfite.

— Ben quoi, fit-il, après tout c'est son pognon qui marche, non ? T'as qu'à prendre un autre billard, c'est pas ce qui manque !

En ronchonnant, Freddy suivit le conseil de son ami.

— Tu crois que j'ai le temps d'en faire une ? demanda-t-il.

— Tu as le temps, affirma Paulo.

— Quelle heure t'as dit qu'il était ?

— Tout à l'heure j'ai dit qu'il était moins le quart, mais maintenant il est moins cinq...

Lisa, qui les écoutait distraitement en examinant les faits et gestes de Frank, questionna :

— Il met combien de temps pour aller à Copenhague, ce bateau ?

— La nuit, renseigna Gessler. Vous y serez demain matin.

Elle essaya d'imaginer Copenhague en faisant appel à des souvenirs de photos de revues. Mais elle n'obtint rien de valable.

— Et après Copenhague, Frank ? murmura-t-elle.

— Tu n'as pas prévu plus loin ? s'étonna le garçon.

Elle lui sourit tendrement.

— Je te connais trop bien. Je savais qu'une fois qu'on t'aurait enlevé tes menottes c'est toi qui déciderais...

Il secoua la tête misérablement.

— J'ai également perdu l'habitude de décider !

— Nous pourrions aller à Londres ? suggéra la jeune femme. Tu as ton ami Billy, là-bas.

— Je ne me suis pas évadé de prison pour aller dans une île, ricana Frank.

Il regarda la pluie sur les vitres. Elle tombait dru. On entendait ronfler une gouttière au bord du toit. Des silhouettes noires et brillantes se déplaçaient le long des quais, dans la lumière froide des lampadaires. Aucune agitation insolite. Le quartier semblait étrangement calme. Si calme que Frank en fut incommodé. Il retourna au poste de radio et se mit à tourner le bouton. Il rit triste.

— Au cinéma, des types dans notre situation trouvent immédiatement le bulletin d'information qui les concerne !

Il vit Freddy immobile près de lui, avec un visage implorant. Frank le désigna à l'avocat.

— Pour l'amour du ciel, maître, si vous avez une pièce d'un pfennig, donnez-la à Freddy !

Gessler fouilla son gousset et tendit à l'intéressé la pièce souhaitée.

— Dis merci ! tonna Frank, comme l'autre s'éloignait sans mot dire.

Freddy lança sans se retourner un « merci » qui ressemblait à un aboiement. Frank poussa un siège contre celui de Gessler et s'assit aux côtés de son avocat. On eût dit deux voyageurs dans un autobus.

— Il va faire « tilt », chuchota-t-il en clignant de l'œil. Freddy fait toujours « tilt » car il triche. Tricher lorsqu'on joue seul, c'est raffiné, vous ne trouvez pas ?

Gessler resta muet. Alors Frank se pencha sur lui et cria avec une violence fulgurante :

— Vous ne trouvez pas ?

Les autres se retournèrent et on entendit errer une bille d'acier sur le circuit d'un des billards. Au passage, bien qu'elle ne fût pas dirigée par les « flippers », elle butait contre des plots qui accusaient le choc en ronflant.

— Frank ! implora Lisa.

Elle s'approcha de lui à pas prudents.

— On dirait...

Elle se tut. Avec Frank il fallait peser ses

mots. Parfois, sans objet, il piquait des colères terribles qui effrayaient son entourage.

— J'écoute ! dit-il sèchement.

Lisa rassembla son courage.

— On dirait que tu es malheureux.

Freddy reprit sa partie de billard. Il soulevait l'appareil imperceptiblement et lui administrait des coups de genou pour rectifier le circuit de la bille lorsqu'elle échappait à son contrôle. Il était un spectacle à lui tout seul et les deux Allemands, émerveillés, se mirent à le regarder opérer en poussant des exclamations ravies.

— Tu es malheureux ? insista Lisa.

Frank lui passa la main dans les cheveux, doucement, tendrement.

— Ce sont ces cinq années qui ont du mal à passer, Lisa.

Il suivit du bout de l'index les traits délicats de son amie. Elle avait une peau dont la douceur l'émerveillait.

— Tout à l'heure, reprit-il, je te disais que tu ressemblais à ce que j'imaginais. Mais ce que je ne t'ai pas dit, c'est qu'un jour, Lisa, un jour je me suis mis à t'imaginer avec cinq ans de plus. Le rajustement s'est opéré tout seul, le temps de faire ça...

Il fit claquer ses doigts et tarda à abaisser son bras.

— Tu sais, dans certains vieux films rafistolés il y a des sautes d'images. Tu regardes un personnage amorcer un geste, et tac, le geste est terminé sans avoir été fait. Toi, tu as vieilli de cinq ans ici !

Il se frappa le front.

— Tu as vieilli de cinq ans en une fraction de seconde. Tu saisis ?

Lisa avait deux larmes au bord des cils. Elle essayait de les contenir, mais on ne contient pas des larmes.

— Oui, Frank, balbutia-t-elle, je comprends.

— Et moi, j'ai terriblement changé, n'est-ce pas ?

— Mais non, protesta la jeune femme.

— Mais si, s'obstina l'évadé. Je suis resté un an sans me regarder. Je fermais les yeux en me rasant ; parole !

Il rit.

— Ce que j'ai pu me couper ! Et puis un jour j'ai rouvert les yeux et j'ai aperçu un drôle de type dans la glace du lavabo. Un drôle de type, répéta-t-il tristement.

Il s'approcha du billard silencieux. Freddy venait de perdre la partie et l'appareil s'était éteint. Frank actionna les flippers à vide. Les petites ailettes battirent stupidement. Le cadran représentait une troupe de girls en train de lever haut la jambe.

— T'as vu leurs tranches de Teutonnes,

pouffa Freddy en les montrant du pouce. Et ces jambons, dis !

— Ce sont des femmes, dit Frank.

Freddy n'osa sourire.

Gessler et Lisa échangèrent un regard désemparé. La radio jouait toujours. Maintenant elle diffusait une musique douce qui faisait songer à des oiseaux traversant un ciel bleu. Elle cessa et un speaker se mit à parler. Warner fut le premier à y prendre garde. Il s'approcha du poste et d'un claquement de langue sollicita l'attention des autres. Ils se groupèrent autour du poste.

— C'est les informes ? demanda Paulo.

Lisa fit signe que oui.

— Ah ! tout de même !

Le commentateur racontait la visite de l'ambassadeur de Pologne au chancelier.

Frank saisit Lisa à la taille.

Le speaker avait changé de ton, mais on devinait qu'il relatait des choses importantes.

— Que dit-il ? demanda Frank.

— Un camion a rompu ses freins dans une rue en pente. Il a défoncé la vitrine d'un horloger. L'horloger et une cliente ont été tués...

Frank fit la moue. Paulo le regarda.

— En France, ton évasion aurait fait plus de

bruit, déclara le petit homme. Elle serait passée avant les accidents de la circulation...

Baum, d'un signe violent lui ordonna de se aire et Paulo lui fit la grimace. Le speaker parlait toujours ; sa voix s'était faite enjouée.

— Alors ? questionna Frank. Traduction ?

— Je crois qu'il parle d'un éléphant, dit Lisa.

— En effet, confirma Gessler. Ils parlent d'un éléphant qui vient de mourir au zoo de Hambourg.

— Pauvre bête ! soupira Paulo avec une expression d'infinie tristesse.

— Et rien sur nous ? demanda Frank.

La musique venait de reprendre.

— Pas un mot, non, s'étonna Lisa. Qu'est-ce que ça veut dire ?

Elle posait la question à Gessler. L'avocat réfléchit un court instant.

— La police a sans doute préféré garder la nouvelle secrète, suggéra-t-il. Je ne vois pas d'autre explication.

Il se tourna vers Frank, mais ce dernier était allé au fond du local où il fit signe à Paulo de le rejoindre. Lorsque le petit homme fut près de lui, il lui mit la main sur l'épaule et lui parla à l'oreille. Lisa et Gessler se demandaient quelle était la nature de l'entretien. Paulo faisait des signes affirmatifs en conservant un visage résolument hermétique. A la fin il décrocha son manteau à un clou et sortit.

— Où va-t-il ? s'informa Lisa.

Frank eut un geste évasif qui manquait totalement de civilité.

— Vous avez un autre pfennig, cher maître ? fit-il.

Gessler prit une nouvelle pièce et, obéissant au signe de Frank, la lui lança. Frank s'en saisit et retourna au billard. Freddy espérait confusément qu'il allait lui remettre la pièce, mais Frank l'écarta et se mit à jouer. Il poussa une bille dans la gorge de lancement et actionna la tirette du propulseur. Déçu, Freddy s'écarta et, les mains aux poches, s'approcha de Gessler. L'avocat lui jeta un bref coup d'œil indifférent.

— Il est gros, ce cargo ? demanda Freddy.

— Assez gros pour vous emmener tous les quatre.

La riposte décontenança un instant Freddy qui n'était pas familiarisé avec les mots d'esprit.

Il faillit s'éloigner, mais cela eût trop ressemblé à une fuite.

— C'est bien, le Danemark ? insista-t-il d'un ton rogue.

Gessler jouait toujours avec sa clé de contact.

— Pour mon goût, ça ne vaut pas l'Italie.

C'était trop pour Freddy. Découragé, le jeune

homme alla fureter du côté des caisses empilées.

— Qu'est-ce qu'il y a là-dedans ? demanda-t-il à la cantonade.

Personne ne lui répondant, il se mit à défoncer le couvercle d'une des caisses à coups de talon rageurs.

Frank acheva sa partie sur un ridicule score. Les cinq billes d'acier n'avaient totalisé qu'un minimum de points.

— Vous avez encore une autre pièce, monsieur Gessler ? appela-t-il. Je vous rembourserai.

Sans un mot, Gessler le rejoignit. Il eut du mal à découvrir dans ses poches un nouveau pfennig et annonça en le glissant dans la main de Frank :

— C'est le dernier.

— Vous savez à quoi je pense ? lui demanda Frank.

Gessler attendit la suite. Frank haussa les épaules et déclara :

— A l'éléphant.

— Quel éléphant ? dit Lisa en s'approchant des deux hommes.

— Celui qui vient de mourir au zoo. Ça doit être quelque chose, la tombe d'un éléphant.

Il se consacra à la partie avec application et obtint quelques résultats satisfaisants.

— Tu sais, Lisa, que ce billard me remet dans l'ambiance de Paris ?

— Tant mieux, Frank.

Dieu ! que cette attente était longue à user. Elle la trouvait aussi pénible que celle qui avait précédé l'arrivée de Frank.

Le jeune homme murmura :

— Là-bas je n'y jouais jamais. Je trouvais ce truc stupide.

Il médita un instant en expédiant la dernière bille.

— Ça existe en Allemagne, la Loterie Nationale, Monsieur Gessler ?

— Oui, dit Gessler, ça existe.

— Il vous est arrivé de prendre des billets ?

— Ça m'est arrivé.

— Eh bien ! à moi jamais. J'ai horreur du hasard. C'est un petit salaud, avec lui tout le monde est perdant. Et puis, un billet, c'est tellement laid avec tous ces chiffres !

Freddy venait d'ouvrir la caisse. Il jubilait comme un gosse qu'on aurait lâché dans un magasin de jouets et qui n'arriverait pas à s'assouvir.

— Hé ! cria-t-il, regardez un peu, les gars !

Il brandissait un appareil téléphonique blanc. L'objet le ravissait.

— *Ein, zwei, drei !* cria Freddy ; et il lança

l'appareil en direction de Warner qui le saisit au vol et le posa sur le plancher.

— Excusez-moi, poursuivit Freddy : on m'appelle sur une autre ligne.

S'emparant d'un second appareil, il le jeta à Baum. Baum rata la réception et le socle de l'appareil éclata contre le montant de fer soutenant le toit de l'entrepôt. Une espèce de griserie frénétique s'était emparé de Freddy. Il puisait dans la caisse et jetait les appareils téléphoniques autour de lui en poussant des glapissements hystériques.

— Tu as fini tes idioties ! aboya soudain Frank.

Sa voix véhémente stoppa le délire de Freddy.

— Ben quoi, plaida ce dernier, il faut bien passer le temps en attendant ce p... de barlu, non ?

Frank se vrilla la tempe d'un index rageur.

— T'as pas changé, fit-il. Toujours ta bulle d'air là-dedans !

Paulo surgit par l'escalier extérieur. Son pas léger faisait chanter les marches rouillées. Il entra furtivement et referma la porte d'un coup de talon. La pluie dégoulinait sur son visage de fouine. Il était sombre et hermétique. Il s'approcha de Frank et se mit à lui parler à l'oreille. Frank écouta sans le regarder, sans regarder personne. Lorsque Paulo se tut, un mince sourire crispa les lèvres de l'évadé.

— Qu'est-ce que c'est que ces téléphones ? demanda Paulo en considérant le troupeau d'appareils posés sur le plancher.

— C'est pour l'exportation, expliqua Freddy. Si t'en veux un c'est le moment. Ils sont costauds, les Allemands ça parle fort !

Frank s'écarta du billard et se mit à arpenter la pièce à longues enjambées. Lisa ne le quittait pas des yeux. Elle était inquiète. Elle se demandait ce que Paulo venait de révéler à Frank. Elle se disait que ce devait être une chose grave.

Le commissaire raccrocha d'un geste sec et regarda ses inspecteurs en fronçant les sourcils. C'était un gros homme pâle et blond, au visage ingrat.

— Le fourgon cellulaire n'avait aucune escorte en quittant le pénitencier, fit-il. Il y a du louche là-dessous.

— Qu'est-ce qu'on fait ? demanda l'inspecteur qui s'était rendu au tunnel pour l'affaire des motos abandonnées.

— Le directeur du pénitencier d'Altona téléphone à la prison de Lünburg pour savoir si le prisonnier est arrivé.

Il consulta la pendulette de marbre posée sur son bureau.

— Ce fourgon a quitté le pénitencier à six heures environ. Il devrait être arrivé.

Il prit un énorme cigare dans une boîte ouverte devant lui. Au moyen d'un petit appareil chromé, il sectionna l'extrémité la plus pointue et, avec une application de chirurgien, il vrilla une moitié d'allumette dans le cigare.

Ses subordonnés le regardaient agir avec le plus profond respect. Le commissaire était un homme exigeant dont le calme inhumain glaçait tous ceux qui l'approchaient.

Il chauffa le cigare à la flamme d'une seconde allumette — un peu comme on brûle une volaille —, l'alluma et se mit à le téter avec délice. Comme il expulsait sa première bouffée, le téléphone sonna.

Il bloqua l'énorme cigare dans le coin de sa bouche et répondit.

La conversation fut extrêmement brève. Lorsqu'il raccrocha il déclara à ses hommes attentifs :

— Le fourgon cellulaire n'est pas arrivé. Ça n'est pas encore alarmant, mais c'est déjà troublant.

Il regarda l'heure. Sa pendule marquait sept heures moins deux.

— Il y a des encombrements en fin de journée, souligna l'un des inspecteurs.

— C'est vrai, reconnut le commissaire. Mais ma conviction est établie...

Ses dents se crispèrent sur l'allumette fichée dans le cigare.

— Il s'est passé quelque chose dans cet ascen-

seur, affirma-t-il paisiblement. Vous allez suivre ce fourgon à la trace à partir de l'Elbtunnel. Prenez tous les hommes disponibles et mettez-vous immédiatement en chasse.

— Vous croyez qu'il s'agit d'une évasion, herr commissaire ? demanda un inspecteur.

— Oui, je le crois, répondit le commissaire. Le prisonnier transporté est un gangster français très dangereux. Il est condamné à la détention à vie pour avoir descendu un flic de Hambourg.

Il sortit son cigare de sa bouche et le secoua doucement au-dessus de son cendrier.

— S'il s'est échappé, on le retrouvera. Et alors on s'arrangera pour ne pas lui faire de cadeau. Rompez !

Frank sortit son faux passeport de sa poche et se mit à le feuilleter en le tenant près de ses yeux, comme le font les myopes.

— Au fait, où suis-je né ? demanda-t-il en plaisantant.

Lisa sortit de son imperméable un étui noir et le lui tendit.

— C'est vrai, dit-elle, je ne pensais pas à te les donner.

Frank reconnut l'objet et fut attendri.

— Ah ! tu y as pensé !

Il sortit des lunettes de l'étui. Des lunettes de grand-mère, à monture de fer. Il en chaussa son nez et se mit à regarder autour de lui pour « les essayer ». Ces archaïques bésicles lui donnait un petit air doctoral. Il faisait — songea Lisa — philosophe russe. Il avait soudain le visage déterminé et inquiétant de ces intellectuels qui lançaient généreusement des bombes et des idées avant la guerre de 14.

— C'est gentil d'y avoir pensé, Lisa, remercia le garçon. Ça fait du bien, tu sais...

Il l'embrassa et retourna s'asseoir auprès de Gessler. Il étudia le passeport, mais en le tenant cette fois éloigné de lui.

— Ma vue va mieux, remarqua Frank.

Il lut la fiche signalétique du document.

— Beaucoup mieux.

Et, s'adressant à Gessler.

— En général, dit-il, le temps ne fait qu'accroître nos maux. Il n'arrange que la myopie.

Il ferma le passeport d'un geste sec et le fourra dans sa poche.

— Monsieur Gessler, attaqua-t-il avec brusquerie, pourquoi nous avez-vous raconté cette histoire de barrage, tout à l'heure ? Paulo vient d'aller voir : tout est calme, dehors.

Son âpreté fit sursauter Lisa. Freddy s'approcha, le visage déformé par une lippe mauvaise. Il tenait un appareil téléphonique à chaque main.

— Tout est très calme, renchérit Paulo, lequel se tenait adossé à un pilier de fer, tout près de l'avocat.

Il y eut une période interminable de silence. Warner lisait le journal dont les bandes dessinées intéressaient Paulo avant la venue de

Frank. Baum somnolait dans le fauteuil pivotant. Les deux Allemands n'avaient aucunement conscience de la brusque tension qui venait de se produire.

— C'est pas gentil de nous faire peur, grinça Freddy en se penchant sur l'avocat.

Gessler, débordé, se dressa, par réaction. Son expression maussade avait disparu. D'un geste lent, il écarta Freddy qui lui barrait le chemin. Lisa, Frank et Paulo ne le perdaient pas de vue. Lisa sentait battre son cœur à grands coups désordonnés.

— Je sais bien que ça peut vous paraître surprenant, soupira l'avocat ; mais je n'ai pas eu le courage de partir.

— C'est plutôt pour rester qu'il faut du courage, affirma l'évadé. Un sacré courage, même !

Warner tourna les pages de son journal et se mit à fredonner une chanson. Baum dormait en ronflant par moments.

— Paulo, Freddy ! appela Frank.

Les intéressés se rapprochèrent.

— Voulez-vous descendre un instant dans l'entrepôt avec M. Gessler !

Frank avait parlé lentement, sans hargne, d'un ton absolument neutre, mais ils ne s'y trompèrent pas. Son regard fixe trahissait la confusion de ses pensées.

Freddy lâcha simultanément les deux appareils téléphoniques. Ceux-ci tombèrent comme des poires mûres et restèrent plantés de chaque côté de sa personne.

— Frank, bredouilla Lisa, qu'est-ce que ça signifie ?

— Je vais te le dire, j'attends seulement que Me Gessler soit descendu.

— Je ne comprends pas, dit Gessler.

— Moi non plus, riposta Frank, mais nous allons essayer de comprendre. Quelle heure est-il, Paulo ?

— Sept heures pile ! annonça Paulo.

Comme il disait ces mots, un clocher se mit à égrener des coups espacés quelque part, de l'autre côté du fleuve. Paulo leva le doigt pour requérir l'attention de son ami.

— Tu te rends compte si on s'entend bien avec l'Allemagne maintenant ? plaisanta-t-il lugubrement. Même nos horloges sont d'accord !

Frank eut un geste brusque de la main pour leur intimer l'ordre d'emmener Gessler.

Freddy posa sans brutalité sa main sur l'épaule de l'avocat. Il le poussa vers la porte de l'entrepôt en chuchotant d'un air équivoque :

— Mais oui, descendons.

Avant de passer le seuil du bureau, Gessler se retourna. Un instant, Lisa crut qu'il allait s'insurger, mais l'avocat voûta ses épaules et disparut.

Warner abaissa son journal. Il était intrigué par cette triple sortie. Il interpella Paulo.

— Qu'est-ce qu'il veut ? questionna ce dernier.

— Il demande où vous allez, traduisit mornement Lisa.

Paulo renifla.

— On va pisser, mon pote ! fit-il avant de disparaître.

Sa voix enjouée rassura Warner qui se remit à lire. Frank regardait Lisa sans rien dire.

— Qu'est-ce qui te prend, Frank ? insista la jeune femme.

La peur revenait en elle, sournoise et glacée. Elle avait de petits frissons.

Frank montra la porte que les trois hommes venaient d'emprunter.

— Vous en êtes où, toi et lui ?

— Qu'est-ce que tu racontes !

Elle dut s'asseoir, car ses jambes lui manquaient. Elle vit, comme dans un rêve, Frank s'approcher d'elle, les mains dans les poches, souriant et dégagé. Il s'inclina et l'embrassa en lui mordillant très légèrement la lèvre inférieure. Il goûta la peur de Lisa.

— N'aie pas peur, essaya-t-il de la rassurer, mais il faut que je sache, comprends-tu ?

— Il n'y a rien à savoir, Frank, protesta Lisa.
— Allons donc !
— Mais non, je te jure.
Il l'embrasse de nouveau. Le baiser était inquiétant.
— Je t'embrasse pour t'empêcher de mentir, annonça Frank en clignant de l'œil.
— Tu es fou !
Il resta penché sur elle et, par jeu, frotta le bout de son nez contre celui de sa maîtresse. Autrefois, il avait l'habitude de la réveiller ainsi. Elle ouvrait les yeux, déjà grisée par sa chaleur et son odeur d'homme. Elle sortait ses bras de sous les couvertures pour les refermer sur le torse nu de son amant. Oui, autrefois...
— Le mieux, dit-il, c'est de commencer par le commencement. Tu verras comme ça va être facile.
— Mais, Frank, je ne comprends pas...
— On m'arrête à Hambourg, récita le garçon de son ton uni et presque joyeux. On m'arrête avec mon chargement de drogue et mon revolver fumant. Toi, pendant ce temps, chérie, tu es à Paris...
Il se tut, battit des paupières avec lassitude, et soupira :
— Allez continue, je t'écoute !
Lisa se dressa.
— Non, Frank ! dit-elle avec véhémence ;

non, je ne marche pas. Tu n'as pas le droit d'être injuste à ce point. Depuis quelques minutes tu es libre. Libre, Frank! Et au lieu de savourer ta liberté retrouvée, tu veux savoir ce que j'ai fait de la mienne. C'est...

Elle chercha un mot. Un mot précis, mais qui ne le choquât pas.

— C'est déshonorant, lâcha-t-elle en soutenant le regard clair de son amant.

Frank conserva son terrible sourire.

— On m'arrête à Hambourg, reprit-il ; toi tu es à Paris... Allez, commence, voyons!

Lisa se sentit ravagée par cette volonté implacable.

— Mais qu'est-ce que tu veux que je te dise! Je t'ai écrit toute ma vie, au jour le jour, pendant ces cinq années! Que te faut-il de plus ?

— Quand tu m'écrivais, je n'étais pas en face de toi pour t'empêcher de mentir!

Il lui donna une bourrade qui se voulait affectueuse, mais qui cependant fit mal à Lisa.

— Allez, mon chou, raconte!

Lisa joignit les mains. Un grand vide se creusait en elle. Elle ne savait comment réagir. S'insurger ou se soumettre ? Le calmer par la douceur ou par la violence ?

— Dans une demi-heure, soupira-t-elle, le

bateau va venir nous prendre et il nous mènera vers le salut.

D'un geste doux elle lui caressa la nuque. Il ploya la tête pour se dégager, mais Lisa accentua sa pression.

— Nous dormirons ensemble, continua Lisa, comme en état d'hypnose, l'un contre l'autre, comme deux bêtes. Et demain, quand le jour sera revenu, Frank, quand il sera revenu...

Son regard errait sur la verrière obscure. L'émotion lui nouait la gorge. Baum, qui s'était réveillé, s'approcha d'eux et les considéra avec amusement. Il murmura quelque chose. Lisa hocha la tête et demanda à Frank :

— Tu sais ce qu'il vient de dire ?

Frank secoua négativement la tête.

— Il dit que lorsqu'une femme passe sa main, comme cela, sur la nuque d'un homme, ça signifie qu'elle l'aime.

Frank prit la main de Lisa et l'écarta délibérément en toisant l'Allemand.

— Est-ce que tu vas parler, bon Dieu explosa l'évadé. N'essaie pas de noyer le poisson, ça ne prend pas.

— Parler !

Elle était au bord des larmes...

— Parler pour te dire quoi, Frank ?

— Tout ! On a le temps ! répondit-il.

Il était inexorable comme les aiguilles d'une horloge.

— Toi, tu es à Paris pendant qu'on m'arrête à Hambourg... Je t'en prie, je t'en supplie, continue...

Il l'attira contre lui et appuya son front contre le front de Lisa.

— Pauvre chère Lisa, balbutia-t-il, sincère. Comme je te tourmente, hein ? Attends, je vais t'aider... Qui est-ce qui t'a appris la nouvelle ?

— Paulo, fit Lisa d'une voix morte.

— Comment ?

— Par téléphone.

— Qu'est-ce que tu as ressenti, alors ?

Elle redressa la tête pour le regarder.

— J'ai eu froid.

— Et puis ?

— Seulement froid.

— Qu'est-ce que tu as fait ?

— J'ai téléphoné à Madeleine dont le mari est avocat.

— Qu'est-ce qu'elle t'a dit ?

Lisa eut un triste sourire. Et ce fut avec un rien de méchanceté qu'elle répondit, sans broncher :

— Elle m'a dit que j'étais folle d'aimer un homme comme toi.

Il ne réagit pas, n'eut même pas une moue

ironique. Son visage glacé était pareil à un masque.

— Et son mari ? Que t'a-t-il dit, lui ?

— Que la peine de mort n'existait plus en Allemagne.

Lisa marque un léger temps et soupira :

— Ç'a été ma première joie.

— C'est lui qui t'a adressé à Gessler ?

— Il m'a rappelée un peu plus tard. Dans l'intervalle il s'était renseigné : Gessler passait pour être le meilleur avocat d'Assises de Hambourg. Je lui ai câblé tout de suite.

— Et puis ?

— J'ai pris l'avion.

— Et puis ?

Les questions de Frank faisaient penser au tic-tac d'un métronome. Elles rythmaient le drame, froidement, mécaniquement.

— J'ai rencontré Gessler. Je lui ai dit qu'il fallait te sauver à n'importe quel prix.

— Et il t'a répondu quoi, le cher homme ?

— Qu'on ne sauve pas un homme qui a abattu un flic ; dans aucun pays.

— C'est bourgeois chez lui ? demanda Frank tout de go.

Elle fut étonnée.

— Pourquoi ?

— Et bourgeois allemand, hein ? ricana Frank. Ça doit peser une tonne, je vois ça d'ici !

Baum, qui les contemplait toujours, s'adressa à Lisa. Il paraissait troublé.

— Qu'est-ce qu'il veut ? s'impatienta Frank.

— Il demande pourquoi tu ne m'embrasses pas comme les Français.

— Quel c... ! fit le jeune homme.

Il saisit brutalement la tête de Lisa dans ses deux mains et, pour la première fois depuis leurs retrouvailles, lui donna un baiser long et passionné. Baum se mit à jubiler. Il fit claquer ses doigts pour requérir l'attention de Warner et lui désigna le couple. Warner abaissa son journal. Les deux hommes regardèrent en silence, émerveillés. Le baiser cessa. Frank donna une caresse à la joue de Lisa.

— C'était pas seulement par patriotisme, tu sais.

Ils restèrent un moment unis par une étreinte miséricordieuse qui les calmait comme un bain chaud.

— Je t'aime, mon Frank, soupira Lisa.

— Tu disais que tu avais rencontré Gessler pour ma défense. Après ?

C'était un monstre. Lisa le regarda en songeant : « C'est un monstre. » Un être impitoyable, sans émotion véritable.

— Après, rien ! dit-elle farouche.

— On m'a jugé, condamné, et tu as continué à le voir ?

— Il me donnait de tes nouvelles. Comment en aurais-je eu sinon, puisque tu ne m'écrivais pas ?

— A partir de quand t'es-tu installée à Hambourg, Lisa ?

— Mais...

— Avant ou après le procès ? insista Frank.

— Après, répondit-elle dans un souffle.

— Tu voyais souvent Gessler ?

— Comme ça.

— Ça n'est pas une réponse. Tu le voyais tous les combien ?

— Je ne sais pas... De temps en temps...

La main de Frank se crispa sur le bras de Lisa. Elle eut très mal.

— Tous les combien ?

— Disons une fois par semaine.

— Et tu le voyais où ?

— Ecoute-moi, Frank, je...

— Tu le voyais où ?

— A son cabinet, voyons !

— Jamais ailleurs ?

— Mais non.

— Jamais ailleurs ? Réfléchis ! Réfléchis bien et réponds-moi franchement, sinon je risque de me mettre en colère. Je voudrais tellement ne pas me mettre en colère, Lisa...

— Je l'ai peut-être rencontré dans une brasserie une ou deux fois.

— Pas plus ?

— Non, Frank.

Il la gifla. Ce fut très prompt et très violent. Une marque écarlate fleurit sur la joue meurtrie de Lisa.

— Ne mens pas, implora Frank. Je t'en supplie, ma petite prune, ne mens pas, ça complique.

Baum s'était rapproché. Les mains aux hanches, il défiait Frank. Frank se dressa et ils se fixèrent un moment. Dompté, l'Allemand alla s'asseoir à l'autre bout du local, butant dans les appareils téléphoniques qui jonchaient le sol.

— Ce type est fou ! lâcha-t-il au passage à Warner.

Ce dernier haussa les épaules et se replongea dans sa lecture. Il avait l'âme d'un mercenaire. Il accomplissait son travail sans se soucier du reste.

— Gessler te faisait la cour ? insista Frank en caressant du bout du doigt la joue de Lisa où s'étoilait sa gifle.

— Non, Frank.

— En tout cas, affirma le garçon, il est drôlement amoureux de toi ; tu ne vas pas prétendre le contraire, j'espère ?

Lisa eut une brève réflexion.

— Peut-être, reconnut-elle. Qu'est-ce que ça

peut faire ? Mais réponds, Frank. Qu'est-ce que ça change vis-à-vis de nous deux ?

Frank arpenta la pièce jusqu'à la verrière. Une lame du plancher craquait à certain endroit. Il se mit à la faire gémir en pressant dessus avec le talon. Le petit cri du bois devenait insupportable.

— Arrête ! implora la jeune femme.

Il cessa de faire craquer la latte, et revint à elle après avoir coulé un regard à l'extérieur. Le port était calme. La pluie ronflait contre les vitres et le conduit de descente engorgé, produisait un bruit de borborygme.

— Gessler est un honnête homme. Un homme connu, un homme réputé. Et voilà que tout à coup il organise une évasion !

— Il ne l'a pas organisée, rectifia Lisa, il m'a seulement...

Du geste, Frank la fit taire.

— Ça s'est fait comment cette métamorphose ? questionna l'évadé. Hein, Lisa ? Comment l'impensable est-il devenu pensable pour ce magistrat intègre ?

— Je ne sais pas.

— Un jour tu as dû prononcer devant lui le mot « évasion ». Un mot à le rendre cardiaque, et pourtant il n'est pas mort foudroyé. Pourquoi, Lisa ? Pourquoi ?

Comme elle ne répondait pas, il l'empoigna

par le bras, le souleva de son siège et se mit à la promener dans la pièce en la secouant.

— Puisque je te dis que je veux savoir ! Tu m'entends ? Je veux savoir ! Je veux savoir !

Paulo surgit par la porte donnant sur l'entrepôt.

— Frank ! hurla-t-il, qu'est-ce que tu lui fais !

— Fous le camp ! tonna Frank sans lâcher Lisa.

Paulo ne bougea pas.

— Je venais te dire... Il y a deux motards qui viennent de passer dans la rue à tout berzingue.

— Je m'en fous, file !

— Mais, Frank...

— File ! hurla Frank.

Paulo retourna à la porte. Avant de sortir, il murmura :

— Il est sept heures dix, pense au bateau !

Le commissaire avait quitté son bureau et arpentait la salle principale du commissariat en mâchonnant son mégot de cigare éteint. Il avait réduit l'allumette en une sorte de bouillie qu'il titillait du bout de la langue. De temps à autre il stoppait sa marche pour se planter devant une grande glace encadrée d'or placée au-dessus de la cheminée. Il admirait l'ordonnance de ses cheveux pâles ; plats coupés court, rectifiait sa cravate sombre et chassait, à petites chiquenaudes, la cendre de cigare qui s'était écroulée sur ses revers. Il ne restait plus qu'un inspecteur dans le poste : un grand garçon maigre, à la mâchoire proéminente, dont le visage frémissait sous l'effet de tics nombreux. Chaque fois que le commissaire posait son regard sévère sur lui, l'homme se hâtait de rédiger des choses obscures sur des formulaires imprimés.

A la fin, le commissaire appuya sur le bouton d'un appareil interphone.

— J'écoute ! annonça une voix sèche.
— Sortez ma voiture !
— Tout de suite, herr commissaire.
Le policier avait un vestiaire dans son bureau. Il décrocha un manteau de cuir noir doublé de peau de chat. Lorsqu'il l'eut revêtu, il paraissait avoir doublé de volume. Il coiffa son feutre gris perle garni d'un large ruban noir et enfila ses gants fourrés. C'était un personnage menaçant et pittoresque.
Quand il sortit, sa Mercedes noire se trouvait devant le perron. Un policier se tenait au volant. L'homme avait bouclé sa ceinture de sécurité. Le commissaire prit place à l'avant de la voiture.
— On traverse, dit-il seulement.

*
* *

De l'autre côté du tunnel, ses hommes fourmillaient. Baumann, un inspecteur chef qui dirigeait les opérations, se précipita sur sa voiture lorsque celle-ci déboucha de l'ascenseur.
— Alors ? demanda le commissaire.
— Le fourgon n'a pas quitté le port, dit l'inspecteur chef en rectifiant la position.
Il avait le nez rouge, des yeux noyés dans une espèce de gélatine qui donnait à son regard une brillance écœurante.

— *Comment le savez-vous ?*

— *Exceptionnellement, les patrouilles de la douane ont opéré des vérifications en fin d'après-midi. Les douaniers sont formels : aucun fourgon cellulaire n'est passé. De plus, l'un de mes hommes a recueilli le témoignage d'un marin hollandais, à moitié ivre, qui prétend avoir vu ledit fourgon traverser un chantier. Curieux, n'est-ce pas ?*

— *Il s'agit donc sans aucun doute d'une évasion, décréta le commissaire.*

Il n'était pas mécontent de l'événement. Depuis plusieurs semaines un calme plat régnait à Hambourg et ses services accomplissaient une besogne paperassière des plus routinières.

— *Qu'on diffuse le signalement de l'homme partout. Qu'on fasse des vérifications dans les gares et à l'aéroport. Qu'on visite les embarquements. Il faut fouiller ce quartier dock après dock. On n'a pas désintégré la voiture. Si elle n'a pas quitté le port, elle est certainement dans quelque entrepôt.*

— *Certainement, herr commissaire, j'ai déjà donné des instructions. Nos hommes explorent les ruelles, les impasses, les entrepôts...*

— *Parfait. J'exige du travail soigné. Demandez du renfort à l'hôtel de police. Que tout le port soit en état de siège. Je veux avant toute chose retrouver ce fourgon coûte que coûte.*

— J'y vais, herr commissaire !

Le commissaire descendit de sa voiture. Il prit un nouveau cigare dans sa poche, mais il pleuvait dru et il préféra ne pas l'allumer. Il le glissa pourtant entre ses lèvres minces et se mit à le mâchonner voluptueusement.

Une évasion, cela plaisait toujours au public. C'était si spectaculaire ! Les journalistes ne tarderaient pas à accourir.

Il songea qu'il avait mis une chemise blanche le matin, et s'en montra satisfait. Pour les photos c'était préférable.

Il se mit à l'abri dans la guérite d'un gardien. Un fourgon cellulaire cela avait un volume considérable. Il ne devait pas être facile de le dissimuler.

Baum sortit sur les talons de Paulo. Il semblait mécontent. Contrairement à Warner, que les réactions de ses « clients » ne troublaient pas, Baum n'aimait pas le comportement de Frank. C'était un homme déterminé et sans scrupule, mais qui possédait le sens d'une certaine logique. Il trouvait les réactions de l'évadé incohérentes et elles l'inquiétaient.

— Tu es trop injuste à la fin, dit Lisa. Frank, pendant cinq ans, j'ai rôdé comme une bête le long de ces murs qui te retenaient en cherchant le moyen de t'en faire sortir...

— Je sais, coupa le garçon.

Et de son ton implacable il reprit :

— Tu m'as bien dit que tu voyais Gessler une fois par semaine, n'est-ce pas ?

— Je n'ai pas compté.

— Enfin, tu me l'as dit !

Elle se sentit trop lasse pour protester. Après tout, puisqu'il aimait se martyriser...

— Je te l'ai dit.

— Et tu le voyais seulement pour avoir de mes nouvelles ?

— Seulement pour ça, Frank.

Il grimaça. Il était terrifiant. Son index décrivit un petit moulinet et il le vrilla méchamment dans la poitrine oppressée de Lisa.

— Or, Gessler venait me voir une fois par mois... A peine ! s'emporta le jeune homme en la secouant de nouveau. Tu entends, Lisa ?

— Et après ? riposta Lisa. C'était la seule personne que je connaissais dans ce pays. La seule qui pouvait quelque chose pour moi. La seule qui te voyait ! C'est pourtant facile à comprendre.

Il parut se calmer.

— Raconte-moi le projet d'évasion.

— Il me voyait si désemparée, si décidée à te faire sortir de là !

— C'est lui qui en a eu l'idée ?

— Oh ! non : c'est moi.

— Eh bien ! explique... Allons, ma prune, fais un effort. Tu as entendu ce qu'a dit Paulo : il est déjà sept heures dix !

Lisa sursauta. Cette allusion à l'heure lui fit peur.

— Et alors ? demanda-t-elle, angoissée.

— Alors le temps presse ; parle !

L'instinct de la jeune femme l'avertit d'un danger imprévu. Frank venait de décider une chose effrayante ; elle le lisait dans ses yeux bleus et purs comme le vide.

— Frank, pourquoi dis-tu que le temps presse.

Il sourit en guise de réponse.

— Tu lui as demandé s'il acceptait de t'aider à organiser mon évasion.

Elle opina.

— Et qu'a-t-il répondu ?

— Pour commencer, il a prétendu que c'était de la folie et que la chose n'était pas réalisable.

— Mais ensuite il a accepté !

— Il m'a dit que je ne pouvais tenter cela qu'avec l'aide de gens qualifiés. C'est alors qu'il m'a adressée à Bergham, tu en as entendu parler ?

Frank secoua la tête :

— Tu sais bien que je ne fréquente pas mes confrères ! ironisa le garçon. Continue !

— J'ai vu Bergham, et il a fait son prix.

— C'était quand ?

— Il y a près d'un an. Mais il devait attendre l'occasion, c'est pourquoi les choses ont tant traîné.

— Et toi ?

— Comment, moi ?

— Tu voyais toujours Gessler pendant ce temps ?

— Pourquoi ne l'aurais-je plus vu ?

— Tu couchais avec lui ?

Cette question le torturait depuis le début et il avait suivi ces longs détours, accumulé tous ces préambules avant d'oser la poser. Lisa pensa qu'ensuite tout irait sans doute mieux. Elle connaissait la jalousie de Frank. Autrefois, lorsqu'ils sortaient pour aller au restaurant ou au spectacle et qu'un homme la regardait avec trop d'insistance, il faisait un scandale, giflait le téméraire ou la forçait à rentrer chez eux. Elle savait le calmer, lui prouver la stupidité de sa jalousie, seulement cela nécessitait du temps, des mots, des serments...

— Hein, réponds : tu couchais avec lui ?

— Non.

— Tu me le jures ?

— Mais oui, Frank, je te le jure ! s'écria-t-elle dans un élan plein de ferveur. Comment peux-tu imaginer une chose pareille ! Gessler et moi... Non, c'est stupide.

— Tu le jures sur nous deux ?

Elle esquissa un lent mouvement de la tête, pour bien lui montrer qu'elle ne répondait pas à la légère. C'était un geste qui voulait convaincre.

— Sur nous deux, oui, mon chéri.

Il se mit à frotter du pouce l'un des boutons de métal de son uniforme pour le rendre brillant.

— C'était la fleur bleue, alors ?

Quel louche besoin de souffrir et de faire souffrir le torturait ?

— Ce type doit drôlement t'aimer, poursuivit Frank. Sais-tu que je l'ai compris depuis longtemps ? Quand il prononçait ton nom au parloir il devenait tout pâle et, chaque fois, ses yeux mouraient. C'est le premier avocat que je rencontre qui ne sache pas mentir.

Une sirène de police se mit à hululer dans le lointain et Lisa se précipita à la verrière où Warner la rejoignit. Frank se désintéressait de l'événement. Il resta courbé, les mains jointes entre ses genoux, à considérer les téléphones abandonnés. Les appareils ressemblaient à des animaux bizarres. Leur utilité réelle n'apparaissait plus. Frank se sentit aussi anachronique que ces téléphones pataudS.

La sirène se précisa, enfla et passa au ras de l'entrepôt sans ralentir. Paulo réapparut, un peu crispé. Ses grosses paupières battaient frénétiquement.

— Hé ! Frank ! appela-t-il, cette fois, c'est la fiesta qui commence.

— J'ai entendu, dit paisiblement l'évadé. Ne te tracasse pas, ils cherchent le fourgon et, tant qu'ils ne l'auront pas trouvé, nous serons peinards.

— Tu crois ?

Frank eut un regard irrité pour son fidèle compagnon.

— Dis, Paulo, tu vieillis, fit-il, méprisant.

Paulo se mordit la lèvre. Il n'aimait pas les « vannes ».

— Amène Gessler ! ordonna Frank.

Paulo s'éloigna docilement.

— Comment se comporte-t-il ? demanda-t-il avant que Paulo disparaisse.

— Très bien, affirma le petit homme. Il est sagement assis sur un baril de morue. Tu le verrais, tu lui donnerais une image !

— Très bien, fais-le monter.

— Que vas-tu lui faire ? dit Lisa.

— Tu as peur pour lui ?

Elle appuya son front brûlant contre les vitres.

— Nous en avons fait le complice d'un triple assassinat ; je trouve que c'est déjà beaucoup.

Gessler réapparut, encadré par Paulo et Freddy. Il avait la démarche menue et la mine désenchantée d'un inculpé.

— Ho ! Kamarade, appela Freddy en s'approchant de Warner, ton copain t'appelle en bas.

Warner jeta son journal et sortit.

— Ils vont préparer la grue pour l'embarquement, expliqua Freddy à Frank.

Ce dernier ne dut pas entendre. Il demanda à Lisa, tout en fixant Gessler :

— Ainsi, ton amie Madeleine t'a dit que tu avais tort d'aimer un type comme moi ?

— Oui, fit résolument la jeune femme en tournant également les yeux vers l'avocat.

— Je t'avais prévenue, au début, tu te rappelles ?

— C'est vrai, Frank, tu m'avais prévenue.

Il parut s'arracher aux charmes suaves de sa délectation morose.

— Bon, descends un moment dans l'entrepôt, Lisa ; Paulo et Freddy vont te tenir compagnie.

— Tu sais que la volaille a l'air de remuer salement, dehors ? prévint Paulo.

— Ils ont dû se mettre à tout fouiller à partir du tunnel, renchérit Freddy.

— Qu'ils fouillent ! s'emporta Frank impatienté. Vous voulez bien nous laisser, oui ?

Lisa ne bougea pas. D'un ton plaintif elle supplia :

— Frank...

— Quelques minutes seulement, répondit le jeune homme en évitant de la regarder.

Lisa eut un bref coup d'œil pour Gessler, mais l'avocat n'y prit pas garde. Lorsque Lisa et ses compagnons furent sortis, il prit une chaise et s'y assit, les jambes croisées, les mains jointes sur ses genoux.

— C'est à moi ? demanda-t-il.

— Pourquoi dites-vous ça ? bougonna Frank.

— Parce que j'ai l'habitude des instructions. C'est toujours le même mécanisme : on interroge séparément les intéressés et ensuite on les confronte. Que voulez-vous savoir ?

Frank prit place au bureau. Il prit appui sur le meuble avec les coudes et posa son menton sur ses mains.

— Vous le pensez, vous, Gessler, qu'une femme a tort d'aimer un homme comme moi ?

— Une femme n'a jamais tort d'aimer qui elle aime, assura gravement l'avocat.

— Vous estimez qu'un type comme moi peut rendre heureuse une femme comme Lisa ?

— Quelle importance cela a-t-il ? fit Gessler. Ensuite ?

La réponse ne satisfit pas Frank. Il n'aimait ni le calme de son interlocuteur ni sa voix méprisante. Il prit l'un des appareils téléphoniques posés sur le bureau et le lança de toutes ses forces à l'autre extrémité de la pièce. Le téléphone se fracassa contre un pilier de fer. Gessler ne sourcilla pas. Simplement, sa moue ironique s'accentua.

— Pourquoi êtes-vous revenu ici en prétendant que la police barrait le tunnel ?

— Pour ne pas obéir à une légitime tentation, riposta Gessler. Celle de prévenir les autorités que trois gardiens de prison étaient en train de mourir dans un fourgon immergé.

— C'est tout ?

— J'avais également besoin de m'assurer que tout se passerait bien jusqu'à l'arrivée de votre bateau.

— C'est très paradoxal, tout ça, dit Frank avec un sourire fielleux. Vous êtes revenu à cause d'elle, tout simplement. Vrai ou faux ?

— C'est vrai, reconnut Gessler.

— Vous l'aimez ?

L'avocat n'hésita pas une seconde.

— Je l'aime.

La simplicité de l'aveu déconcerta un peu l'évadé. Il se tut. Il était très calme.

— Depuis longtemps ? poursuivit-il timidement.

— Je ne sais pas.

Frank eut un hochement de tête mélancolique.

— Mon père était architecte, dit-il après un silence. Le jeudi, il lui arrivait de m'emmener avec lui lorsqu'il allait visiter ses chantiers. Il me laissait dans l'auto et je m'ennuyais. Alors, pour tromper le temps, je comptais. Je faisais des paris avec moi-même. Je me disais par exemple : « A deux cent cinquante, il sera de retour. » Une fois, j'ai compté jusqu'à six cent trente. Vous ne me croyez pas ?

Gessler eut un geste évasif. Cette tirade qui n'était pas en situation l'intriguait.

— Une autre fois, poursuivit Frank, je me suis endormi à trois mille. Papa était mort d'une embolie en discutant avec ses entrepreneurs et, dans la confusion on m'avait oublié dans la voiture. Voyez-vous, cher maître, c'est depuis ce temps-là que j'ai horreur des chiffres. Intéressant, non ?

Il parut sortir d'un profond sommeil et jeta à son avocat le regard égaré d'un homme qu'on vient de réveiller en sursaut.

— Eh bien, fit-il, vous vouliez des détails sur ma jeunesse...

— Ça n'est peut-être plus le moment, objecta Gessler.

— Mais si, puisque nous allons nous quitter. Des souvenirs de jeunesse, Gessler, c'est toujours le moment de les évoquer. La durée humaine n'est que de vingt ans ; le reste... c'est des souvenirs. Je voudrais que vous sachiez une chose : je ne suis pas, comme vous pourriez le croire, un fils de famille qui a mal tourné. Ma vie, je l'ai voulue telle qu'elle est : facile et dangereuse. Seulement, pour comprendre ça... Pour comprendre ça, il faut être Lisa.

— Je me suis toujours demandé comment vous vous êtes connus, murmura Gessler.

— Elle ne vous l'a donc pas dit ! s'étonna Frank. De quoi parliez-vous donc alors ?

Il promena sa langue sur ses lèvres sèches. Il avait soif. Pourquoi personne n'avait-il songé à lui amener à boire ?

— Un jour, j'ai fait un hold-up chez un courtier en bourse dont elle était la secrétaire. Tout s'était bien passé. Et puis voilà que deux semaines plus tard je me trouve dans un restaurant face à Lisa : le hasard... J'ai tout de suite vu qu'elle me reconnaissait. Au lieu de disparaître, je lui ai expliqué comment j'avais organisé ce coup de main et, avant de la quitter, je lui ai donné mon nom et mon adresse en me demandant ce qu'elle allait faire. Eh bien ! ce n'est pas la police qui est venue chez moi : c'est elle ! Romantique, non ?

— Très, convint Gessler.

— Oui, un Allemand doit très bien comprendre ça, surtout s'il est amoureux de Lisa. Et vous ?

— Pardon ! sursauta Gessler.

— Et vous, ça s'est fait comment avec Lisa ?

L'avocat secoua la tête.

— Que voulez-vous dire ?

— Comment est-elle devenue votre maîtresse ?

— Lisa n'est pas ma maîtresse.

— Elle me l'a dit, mentit l'évadé en soutenant le regard de son interlocuteur.

— Elle n'a pas pu vous dire ça !

— Vous voulez que je le lui fasse répéter devant vous ?

— Ça m'intéresserait.

Frank se leva et, d'un pas déterminé, gagna la porte de l'entrepôt.

— Paulo ! appela-t-il.

Il y eut un silence. Frank eut peur et crut que Lisa s'était enfuie. Il sortit pour regarder en bas. Il vit deux policiers dans l'entrepôt. Baum et Warner parlementaient avec eux. Paulo et Freddy faisaient mine de coltiner des caisses. Les deux flics levèrent les yeux et l'aperçurent. Frank ne perdait jamais son sang-froid. Il constata avec satisfaction que ces cinq ans de détention ne lui avaient pas émoussé les nerfs. Au lieu de battre en retraite, il s'accouda à la rampe pour regarder les policiers. Ceux-ci se désintéressèrent de lui et ne tardèrent pas à s'en aller. Paulo gravit l'escalier, s'arrêtant toutes les deux marches pour souffler.

— J'ai mouillé ma flanelle, dit-il. Figure-toi

que messieurs les chevaliers teutoniques visitent tous les docks à la recherche du fourgon.

— S'ils le cherchent, c'est qu'ils ne l'ont pas trouvé, résuma Frank. Tant qu'ils ne l'auront pas trouvé, nous aurons la paix. Tiens compagnie à Gessler un moment, il faut que je parle à Lisa.

Paulo lui adressa une mimique éplorée. Il n'aimait pas la conduite de son ami. Elle était indigne d'eux ; indigne des risques qu'ils avaient pris et des crimes qu'ils avaient commis pour le sortir de prison. En soupirant, le petit homme gagna le bureau.

— Ça n'a pas l'air de carburer très fort, Frank et vous ? fit-il à Gessler.

L'autre eut un léger sourire entendu.

— C'est bête de ne pas s'entendre avec son avocat, plaisanta amèrement Paulo. C'est à propos de Lisa, hein ! Il a reniflé le bouquet ? Vous savez, Frank, c'est un sacré type !

— Je sais.

— Seulement il a un gros défaut, reconnut Paulo : il pense trop.

— Oui, dit Gessler, il pense trop.

— Et en taule ça n'a pas dû s'arranger. Et puis il est... Je cherche le mot... Trop sensible, quoi !

— Hypersensible ! proposa l'avocat.

Paulo lui adressa une révérence admirative.

— Eh bien, dites donc, fit-il, le Larousse, vous ne vous en servez pas comme tabouret.

Lisa et Frank revinrent. Bien qu'elle marchât devant lui, il était visible qu'il ne la contraignait pas. Ils stoppèrent devant Gessler et restèrent silencieux. Gêné, Paulo battit en retraite en direction de la verrière. Il sifflotait.

— Tu veux répéter, Lisa ? balbutia Frank.

Lisa se racla la gorge et dit à Gessler :

— J'ai dit à Frank que j'avais été votre maîtresse, Adolf.

Gessler la regarda, puis détourna la tête. Frank se pencha sur l'avocat et aboya :

— Objection, monsieur Gessler ?

— Si Lisa le dit, c'est que c'est vrai, répondit Gessler.

— Non, Frank ! hurla la jeune femme. Non, ce n'est pas vrai ! Pas vrai !

Elle se jeta sur lui, martelant à coups de poings maladroits la poitrine de son amant. Il la repoussa si brutalement qu'elle tomba sur le plancher. Gessler voulut l'aider à se relever, mais Frank s'interposa.

— Laissez-la !

Lisa ne cherchait pas à se remettre debout. Affalée sur le sol, elle protestait, folle d'indignation :

— J'ai dit ça parce que tu m'as demandé de le dire ; afin de faire une expérience et te prouver que... J'étais tellement certaine que M. Gessler... Adolf! implora-t-elle, je vous en supplie, dites-lui la vérité. Dites-lui qu'il n'y a jamais rien eu entre nous! Pourquoi n'avez-vous pas protesté!

Gessler se cacha le visage dans ses mains.

— Je vous demande pardon, Lisa. Mais c'était un mensonge trop doux à entendre pour que je le rejette!

— Oui, oui! cria Lisa en se relevant. Un mensonge! Tu entends, Frank? Rien qu'un mensonge que tu as toi-même inventé.

Le silence qui suivit leur fit mal à tous.

— Paulo, ordonna brusquement l'évadé, redescends avec elle!

Paulo renifla. Sa figure était toute ramassée autour de son gros nez pustuleux.

— Ecoute, Frank, même si elle a fait ça...

— Elle a fait ça, Paul, dit Frank, elle l'a fait.

Son expression était terrible.

— Mais non, protesta Lisa en sanglotant. Mais non, Frank, je te jure...

— Allons, venez, fit Paulo, compatissant, en la prenant aux épaules.

— Frank, murmura-t-elle, tu es devenu aussi dur et froid que les murs de ta prison.

Frank leva le poing sur elle, prêt à cogner.

— Hé! Franky! hurla Paulo, c'est ta femme!

— Ma femme, soupira Frank en laissant retomber son bras.

Il regarda Paulo entraîner Lisa, et il ressentit une immense navrance.

Assis dans le poste de garde, le commissaire étudiait un plan du port sous le regard respectueux d'un de ses subordonnés. Son index boudiné courait le long des rues.

— Tout a été fouillé dans ce périmètre ? questionna-t-il.

— Oui, Herr commissaire, tous les docks, tous les entrepôts, tous les chantiers : le fourgon reste introuvable.

Le policier abandonna le plan pour secouer la cendre de son cigare. Il exhala une magnifique bouffée d'un bleu voluptueux.

— S'il n'est pas sorti du port et s'il n'est pas dans les bâtiments, c'est qu'il est dans l'eau ! soupira-t-il.

— Dans l'eau ? sursauta son inspecteur.

— Vous voyez une autre solution, vous ?

Il allongea le pouce de sa main droite et le pinça entre le pouce et l'index de sa main gauche.

— Première hypothèse : le fourgon a passé sans que les douaniers l'aient remarqué.

Il cueillit son deuxième doigt avec la même délicatesse.

— Deuxième hypothèse : il est dans un entrepôt et nos hommes n'ont pas su le dénicher. Troisième hypothèse : il est dans l'Elbe et il convient de le rechercher. Donnez des instructions en conséquence.

***

Marika Lost avait rendez-vous avec son ami en bordure de l'ancien bunker. Lutz faisait équipe dans un chantier de construction navale où il travaillait en qualité de soudeur. Après le travail, elle l'attendait à l'écart, en faisant des projets d'avenir. Et puis il arrivait et alors les deux amoureux s'enfonçaient dans l'ombre complice des blocs de béton, à l'abri des regards indiscrets.

Ce soir-là, la jeune fille ne se sentait pas tranquille. Des forces de police grouillaient dans le secteur et Marika se demandait la raison de cette effervescence.

La pluie tombait par intermittence. Par instants elle faisait rage, et puis brusquement elle devenait parcimonieuse. Une bourrasque brutale l'obligea à chercher refuge dans les ruines chaotiques. Certains blocs en surplomb constituaient *des espèces de grottes artificielles où le couple cherchait refuge.*

Marika alla s'asseoir sur une pierre. Elle guettait l'arrivée de Lutz en regardant tomber la pluie dans l'eau du chenal.

Une nappe de lumière s'étalait à la surface de l'eau. Au début, la jeune fille crut qu'il s'agissait d'un reflet. Mais soudain elle tressaillit en constatant que ce coin du port était absolument plongé dans l'ombre. La lumière à la suite de quelque sortilège, semblait monter des profondeurs et non pas tomber dans l'eau. Marika s'approcha du chenal, le cœur battant, comme si elle s'attendait à une initiation fabuleuse. Elle poussa un cri. Le double rayon lumineux montait bel et bien du fond. Elle se pencha mais ne vit rien que ce double faisceau surnaturel. Elle prit peur et se sauva à toutes jambes.

— Vous vous prenez pour quelqu'un d'intéressant, n'est-ce pas ? fit Gessler.

Comme son tourmenteur ne répondait pas, il poursuivit :

— Vous croyez être un cas, en fait vous n'êtes qu'un petit gangster qui a lu Shakespeare. Vous avez l'orgueil des hommes du milieu sans en avoir le panache. Crapule pour crapule, je préfère les vraies.

— Asseyez-vous ! ordonna Frank.

— Non, merci.

Frank le poussa. Gessler fit un pas en arrière, mais ses jambes butèrent contre la banquette et il dut s'y asseoir.

— On a encore des choses à se dire ! affirma l'évadé.

Gessler rajusta sa cravate et dit en tirant sur les plis de son pantalon :

— Tout ce que nous avions à nous dire, nous

nous le sommes dit dans votre cellule avant le procès.

— Ce n'est pas mon avis. Le petit-gangster-qui-a-lu-Shakespeare va vous raconter comment ça s'est passé entre elle et vous.

Frank parut se recueillir.

— Lisa est venue à Hambourg comme on rentre dans une église pour se rapprocher de Dieu. Dans une église, on ne voit pas le bon Dieu, mais on pense qu'il est là.

— Ensuite ? demanda Gessler.

— Vous, comme un sacristain hypocrite, en la voyant vous n'avez eu qu'une idée : vous offrir la petite étrangère qui venait pleurer dans votre giron. Lisa a compris que c'était ma chance et qu'en vous exploitant elle pouvait peut-être me sauver.

— C'est ce que vous appelez « me raconter ce qui s'est passé » ? sourit l'avocat. Je vous plains. Il est vrai que nous avons beaucoup parlé d'amour, Lisa et moi. Seulement, ça n'était pas du même.

— Avouez qu'elle a tout de même couché avec vous !

— Vous le croyez vraiment ?

— Oui.

— Vraiment !

— Oui.

Gessler éclata de rire.

— Eh bien ! tant mieux ! J'aime que cela devienne, ne fût-ce que dans votre esprit, une vérité !

Frank le frappa d'un coup de poing sec à la pommette. La joue de Gessler se mit à saigner. Il pâlit un peu mais se contint, évitant même de porter la main à sa blessure.

— Pas la peine de bêler d'amour ! vociféra Frank. En faisant ça, elle a seulement payé vos honoraires, espèce de salaud !

Il martela le bureau du poing.

— Pendant cinq ans j'ai compté les jours, moi qui ai horreur des chiffres. Je les comptais comme ça, pour rien, puisque je ne devais jamais sortir. Mille huit cent vingt-deux jours sans elle, cher maître. Croyez-moi, c'est quelque chose.

Il alla au milieu de la pièce en tenant une chaise à la main. D'un geste violent il la planta sur le plancher, puis compta trois grandes enjambées à partir du siège. Il marqua cette limite avec des téléphones. Ensuite il compta quatre enjambées dans le sens contraire et jalonna la distance de la même manière, constituant une sorte d'enclos avec des chaises et les billards. C'était un bizarre ouvrage de déménageur. Lorsque Frank l'eut terminé, il s'en fut chercher Gessler par le bras et le poussa d'une bourrade dans le théorique enclos.

— Ma cellule, Gessler ! annonça Frank. Quatre pas sur trois, dix-huit cent vingt-deux jours... Et une pensée, une seule ; toujours la même : Lisa. Pendant cinq ans ! Une pensée qui dure cinq ans, vous réalisez ce que c'est ?

— J'essaie, dit loyalement Gessler. Seulement dites-vous bien que, sans Lisa, il y aurait eu beaucoup d'autres jours encore.

Frank se laissa choir sur la banquette, soudain très pitoyable.

— J'aurais préféré, avoua-t-il. La liberté à ce tarif-là n'est pas dans mes moyens. Vous vous rencontriez souvent.

L'avocat ne répondit pas.

— Cela, elle me l'a vraiment dit, certifia l'évadé.

— Tous les jours, répondit Gessler.

Frank fut coupé en deux par le choc. Il répéta, incrédule :

— Tous les jours ?

Gessler comprit que sa réponse ne concordait pas avec celle de Lisa et il regrettait d'avoir parlé.

— Où vous rencontriez-vous ?

— Chez elle, répondit l'avocat.

Frank se cassa davantage. Il avait une posture pitoyable.

— C'est comment, chez elle ?

Gessler se sentit brusquement très fort. Il tenait la situation bien en main.

— C'est une chambre, avec une fenêtre qui donne sur un parc dont les arbres sont minuscules parce que Hambourg a été rasé !

— Vous alliez la voir à quel moment ?

— Il n'y avait pas de moment... Dès que je pouvais.

Il fit un pas pour sortir de l'enclos, mais Frank le refoula du poing.

— Non, restez là-dedans !

— Quelle est encore cette sotte fantaisie ? s'étonna l'avocat.

— Faites ce que je vous dis.

Freddy passa son visage anxieux par l'entrebâillement de la porte.

— Mande pardon, hasarda-t-il, c'est bientôt fini votre conférence au sommet ?

— Décampe ! ordonna Frank.

Freddy regarda l'enclos et au lieu d'obéir s'approcha de quelques pas.

— Qu'est-ce que c'est que ça ?

— Un cachot, expliqua Frank. Une cellule ! Le trou ! Le trou, Freddy, tu connais ?

Freddy songea que son ami avait perdu la raison et il regretta de s'être embarqué dans cette dangereuse aventure.

— Je connais, fit aigrement Freddy.

Frank s'approcha de lui et demanda à voix basse :

— Tu es chargé ?

— Bien sûr !

— Donne !

Après un rien d'hésitation, Freddy tendit son revolver à Frank. Il essaya de le faire discrètement, mais Gessler vit le geste et détourna les yeux, écœuré.

— Il est plein, avertit Freddy.

— Je l'espère bien, laisse-nous !

— Je me permets de t'annoncer que les flics pullulent dans le secteur, vivement que le barlu s'annonce !

Freddy sortit en maugréant. Frank glissa le revolver dans sa ceinture et se tourna vers Gessler.

— Elle vous attendait ?

— Vous dites ? sursauta l'avocat.

— Puisque vous lui rendiez visite à n'importe quel moment, c'est qu'elle vous attendait tout le temps. C.Q.F.D.

— Je trouvais parfois la porte close ; lorsqu'elle rôdait auprès du pénitencier, par exemple.

— Et quand elle était chez elle ? insista Frank en essayant de prendre un air détaché.

Il y eut une sorte de tumulte à la porte. Paulo essayait timidement de retenir Lisa qui voulait entrer. Elle finit par se dégager d'une secousse et dit en s'avançant vers les deux hommes :

— Lorsqu'il était chez moi !

Elle se tourna et appela de toutes ses forces :

— Paulo, Freddy !

« Puisque c'est un procès que tu fais, Frank, il faut un jury, n'est-ce pas ?

Paulo tendit son bras gauche en col de cygne pour dégager sa montre.

— Il est sept heures un quart et il y a des poulets plein la rue !

Freddy déboucha, un peu essoufflé d'avoir escaladé le roide escalier quatre à quatre.

— Qu'est-ce qui se passe encore ? bougonna-t-il.

— Je veux que vous écoutiez ce que je vais dire, Paulo et vous ! dit calmement Lisa.

— Dites, se lamenta Paulo, vous ne pourriez pas laver votre linge sale plus tard ? Vous avez tout l'avenir devant vous !

— Un avenir sans Me Gessler, intervint Frank. Vas-y, Lisa, on t'écoute.

Lisa considéra le puéril enclos et y pénétra malgré le geste instinctif de Frank pour y prendre place.

— Quand il venait chez moi, fit-elle, ça donnait rituellement ceci.

Elle sourit à Gessler.

— Vous êtes prêt pour la reconstitution, maître ?

Et, comme l'avocat restait silencieux.

— Eh bien ! Adolf, insista la jeune femme, ne voulez-vous donc pas revivre cela une dernière fois ?

— Si, Lisa. Si ! se décida Gessler.

Il se leva, fit claquer ses talons à l'allemande et dit en s'inclinant :

— Bonjour, Lisa, comment allez-vous ?

— Bien, je vous remercie.

Elle se tourna vers Frank et expliqua :

— Les formules de politesse françaises amusaient beaucoup Adolf.

Elle se remit à jouer, désigna une chaise :

— Merci, fit-il sérieusement en s'asseyant.

— Vous ne voulez pas ôter votre pardessus ?

— Je ne fais que passer, Lisa.

— Comme toujours. Je crois que ce sont ces... ces passages qui donnent un rythme à ma pauvre vie.

Frank se mit à califourchon sur une chaise. Il croisa les bras sur le dossier et mit son menton sur ses poings crispés. Un indéfinissable sourire retroussa sa lèvre supérieure.

— Continuez, fit-il, c'est fascinant.

Gessler reprit :

— Je suis heureux de l'apprendre, Lisa. Vous êtes sortie ce matin ?

— Oui.

— Toujours la même promenade ?

— Toujours, dit Lisa. Je regarde longuement chaque fenêtre de la prison, du moins celles qu'on peut apercevoir de la rue. Il me semble que je vais le découvrir derrière l'une d'elles. Mon manège finit par attirer l'attention. Hier un agent s'est approché de moi et m'a posé des questions que j'ai fait semblant de ne pas comprendre.

— A propos, coupa Gessler, avez-vous travaillé votre vocabulaire ?

— J'ai essayé.

— Nous allons voir...

Il se recueillit et, les yeux fermés demanda :

— Le vent souffle fort ?

— *Der Wind weht heftig,* traduisit Lisa.

— Je m'excuse de vous déranger ?

— *Entschuldigung dass ich Sie störe.*

Freddy fit claquer ses doigts et grommela :

— Je ne pige pas à quoi ça rime !

— Ta gueule, fit Paulo, moi si !

— On continue ? demanda Lisa à Frank.

— S'il vous plaît, implora-t-il.

— *Das Schiff ?* fit docilement Gessler.

— Le bateau, répondit Lisa.

— *Die See.*

— La mer.

— *Auf Wiedersehen.*

— Adieu.

L'avocat prit une profonde inspiration.

— *Ich liebe Sie!*

Lisa détourna la tête. Gessler répéta, plus doucement, avec une infinie tendresse :

— *Ich liebe Sie!*

Elle se taisait toujours, et ses lèvres crispées devenaient blanches.

— *Ich liebe Sie! Ich liebe Sie!* hurla Gessler.

Il se tut, parut contrit de s'être laissé emporter par la passion et tamponna son front avec son mouchoir.

— Cette phrase-là, elle n'a jamais voulu la répéter, ni en allemand, ni en français.

Lisa s'approcha de Frank.

— *Ich lieve Sie, Frank!* articula-t-elle doucement.

— Et ça veut dire quoi ? demanda Paulo.

— Ça veut dire : je vous aime, traduisit Gessler.

Ils furent tous gagnés par une espèce d'émotion indéfinissable et baissèrent la tête.

— Pet! Pet! les gars! lança brusquement Freddy entre ses dents.

L'ombre d'un policier se profilait derrière la porte vitrée qui donnait sur le port.

— Plus un mot de français! enjoignit Gessler.

Il se tourna vers la porte à l'instant où le policier y toquait.

— Entrez !

Le flic ouvrit la porte et fit un bref salut militaire. C'était un homme plutôt malingre, au teint gris et aux oreilles décollées.

— Qu'est-ce que c'est ? lui demanda sèchement l'avocat.

Son autorité parut en imposer à l'arrivant.

— Il y a longtemps que vous êtes là ? demanda-t-il en examinant les lieux.

Son attention fut accaparée un instant par les billards. Ces gros jouets durent lui paraître rassurants car son front se déplissa.

— Depuis le début de l'après-midi, pourquoi ?

— Vous n'auriez pas aperçu un fourgon noir ?

— Un fourgon comment ?

— Cellulaire.

— Quelle drôle d'idée ! Non, pourquoi ?

— Et eux non plus ? insista le policier en montrant les autres.

— *Nein,* fit vivement Lisa.

Le policier mit ses mains dans son dos pour passer son petit monde en revue. Il se planta devant Freddy.

— *Nein,* dit Freddy.

Paulo, quant à lui, crut plus prudent de

secouer négativement la tête. Il n'avait pas compris la question du policier mais il en devinait facilement le sens.

Frank s'était mis à siffler « Fascination » d'un air agressif. Le flic s'approcha de lui. Les assistants comprirent qu'une louche tentation tenaillait l'évadé. Ils frémirent ; Freddy surtout qui pensait à son revolver.

— Rien vu non plus ? demanda le policier.

Et comme Frank continuait à siffloter en le regardant, il hurla :

— Hé ! je vous parle !

Les autres suaient d'angoisse. Frank s'arrêta de siffler et fit un signe négatif.

Baum entra. Il n'avait pas quitté la veste d'uniforme qui lui avait servi au moment du coup de main. Gessler le foudroya du regard et Baum, avec une présence d'esprit et une promptitude remarquables se jeta derrière une pile de caisses.

— Parfait, merci ! lança le policier en s'éclipsant.

— La vache, grinça Freddy. Nous faire des frayeurs pareilles, c'est pas honnête !

— Tu crois qu'il t'a reconnu ? se tourmenta Lisa.

Frank secoua la tête.

— Je ne suis pas si célèbre et on n'a pas eu le

temps de publier ma photo. Il parlait du fourgon ?

— Oui, répondit Freddy. On a bien fait de ne pas le conserver dans l'entrepôt, sinon on aurait été marron.

Gessler s'était rendu à la verrière et examinait l'Elbe avec ses bateaux ancrés au milieu des immenses grues.

— M... ! jeta-t-il soudain : une vedette de la police patrouille le long des quais.

— En admettant qu'ils découvrent le fourgon, ils croiront d'abord à un accident, objecta Frank. Du moins jusqu'à ce qu'ils l'aient repêché et ouvert !

— Tu parles que ça peut avoir l'air d'un accident ! bougonna Freddy. Il a fallu rouler sur cent mètres de décombres pour parvenir au jus !

Baum débita une tirade à Gessler. Gessler hocha la tête et se tourna vers les Français.

— Baum préconise que vous entriez tout de suite dans la caisse, pour le cas où les flics reviendraient dans l'entrepôt avant l'arrivée du bateau.

— Quelle heure est-il, Paulo ? questionna Frank.

— Presque vingt !

— Alors il est trop tôt pour se coller dans cette caisse.

— T'as raison approuva Paulo, il suffirait qu'un poulet un peu plus dégourdi que les autres ait l'idée de regarder dedans et il n'aurait même pas la peine de nous emballer.

Lisa trouvait bonne l'inquiétude ambiante. Le danger qui les cernait lui semblait préférable au sinistre interrogatoire de son amant.

— Et alors, ils viennent ? fit Baum impatienté.

— Pas tout de suite, dit laconiquement Gessler.

La figure de Baum prit une expression mauvaise. On l'avait payé pour mener à bien un travail dangereux, et il entendait être obéi.

— Plus tard, ça veut parfois dire jamais, laissa-t-il tomber.

— Qu'est-ce qu'il débloque ? s'enquit Paulo.

Cette fois ce fut Freddy qui fournit la traduction.

— Il dit que plus tard, c'est des fois trop tard. C'est à peu près ça, maître ?

— Exactement, complimenta Gessler.

— Cinq minutes avant l'arrivée du bateau, décréta Frank. Explique-lui, Freddy.

Baum regarda sa montre, se frappa le front du doigt pour marquer sa réprobation et descendit rejoindre Warner.

Frank sortit le pistolet de Freddy et le fit sauter dans sa main. Lisa poussa un cri de terreur.

— Fais gaffe ! lança Freddy, y a pas de cran sur ce bijou : il s'allume tout seul !

— En somme, attaqua le jeune homme, si j'en crois votre petite comédie de tout à l'heure, Gessler allait chaque jour chez toi uniquement pour te donner des leçons d'allemand ?

— Frank ! fit la jeune femme, éperdue, on ne va pas revenir là-dessus en ce moment !

— Mais si, Lisa : nous n'avons plus que ce moment-là pour y revenir.

Il remit le pistolet dans son pantalon et sentit le canon froid contre sa peau. C'était une pression dure mais rassurante.

— Messieurs du jury, votre opinion ? fit-il en s'adressant à ses deux complices.

— Lisa a raison : c'est pas le moment de causer de tout ça ! décréta Paulo avec une irritation qu'il ne cherchait plus à dissimuler.

— Ah ! tu trouves ?

— Je trouve !

Frank lui donna une petite tape affectueuse sur la nuque.

— Comme ce serait bon et simple d'avoir ta philosophie, Paulo !

— Qu'est-ce que tu débloques ! riposta le

petit homme avec un haussement d'épaules. J'ai pas de philosophie.

Il se tourna vers Freddy et ajouta :

— Ça se saurait !

Des ombres en uniforme gesticulaient au bord du chenal. La vedette piqua lentement vers elles. Lorsqu'elle fut entrée dans le tronçon du canal, l'homme qui se trouvait sur le pontage actionna le projecteur. Un énorme faisceau blanc plongea dans l'eau grise. Penché par-dessus le plat-bord, le commissaire et ses inspecteurs regardèrent le fantasmagorique spectacle qui s'offrait. Quelques mètres au-dessous d'eux, le fourgon cellulaire reposait sur un lit de décombres, légèrement penché sur le côté. La lumière de ses phares agonisait et ceux-ci ressemblaient à deux gros yeux mornes et ensommeillés.

— C'est bien lui, dit le commissaire. Fasse le ciel que les gardiens ne se trouvent pas à l'intérieur.

Il donna l'ordre d'accoster et sauta sur la berge accidentée. Deux policiers en uniforme et une jeune fille blonde discutaient sous la pluie.

— Prévenez les pompiers du port ! commanda le commissaire. Qu'on repêche ce fourgon sans perdre une minute...

Les policiers étaient munis de torches électriques. Ils éclairèrent un instant l'ancien bunker.

— Il ne peut subsister le moindre doute, dit le magistrat : maintenant nous sommes certains qu'il s'agit d'une évasion.

— L'évadé doit être déjà loin, soupira un inspecteur.

— Oui, admit le commissaire, d'autant plus que cette évasion semble avoir été mûrement préparée.

Il contempla tristement la grosse voiture immergée. Le spectacle était sinistre. Marika se mit à sangloter convulsivement.

— Et quand elle l'a su, l'allemand, qu'est-ce que vous avez fabriqué tous les deux, dans cette saloperie de chambre dont la fenêtre donne sur le parc ? cria Frank en secouant le revers de Gessler.

L'avocat lui prit le poignet et, d'un mouvement violent, fit lâcher prise à Frank.

— J'ai continué de lui parler d'amour et elle de me parler de vous, avoua-t-il ; mais vous ne nous croirez jamais... Ou peut-être si, par moments, quand vous aurez besoin de nous croire ! Maintenant c'est le doute qui est devenu votre prison, et personne ne peut plus rien pour vous. Tant que vous aimerez Lisa, ce sera le même tourment qui vous rongera le crâne comme la petite vrille d'un dentiste.

— Ta gueule ! cria Frank en se ruant sur lui.

Il noua ses mains à la gorge de Gessler, malgré les cris de Lisa et les tentatives de Paulo pour les séparer. Lorsqu'il le lâcha, l'avocat était écarlate et suffoquait. Malgré tout il parvint à sourire.

— Comment cette femme a-t-elle fait de moi un malhonnête homme ? Avec son corps ou avec son âme ? Et que préférez-vous à la vérité : que je lui aie fait l'amour ou que je lui aie appris l'allemand ? haleta l'avocat. Réfléchissez bien ; car c'est cela le vrai problème ; c'est cela le grand mystère !

Son visage reprit une teinte normale. Il caressa son cou meurtri et reprit en toisant Frank d'un œil haineux :

— Oui, mon cher, j'aime Lisa. Tout ce que j'ai fait, je l'ai fait pour elle.

« Un après-midi, vous en souvenez-vous, Lisa, nous nous promenions sur les rives de l'Aussen-Alster. C'était l'hiver et Hambourg ressemblait à une ville de marbre. Le lac était gelé. Une barque se trouvait prise dans la glace. Vous m'avez dit : « Je suis pareille à cette embarcation. Je me sens pétrifiée par l'absence de Frank ; s'il ne sort pas bientôt de prison, je crois que je vais devenir inhumaine. » N'est-ce pas, Lisa ? Ce sont vos propres paroles.

Elle cacha ses yeux dans sa main.

— Nous avons marché près d'une heure, poursuivit-elle. Je revois les pelouses blanches de givre, les bancs déserts...

La mélancolie de sa maîtresse accabla Frank.

— Bon Dieu, Lisa, fit-il, je crois que je commence à comprendre. Tu n'étais plus amoureuse de moi, tu étais amoureuse de mon absence. Amoureuse de ton chagrin, de ta solitude. Amoureuse de Hambourg aussi et peut-être, après tout, de Gessler.

— Tu es en train de tout détruire, Frank, répondit-elle.

— Vous vous promeniez ensemble... au bord du lac... l'hiver !

Venant de l'extérieur, une rumeur leur parvint, faite de sirènes de police, de pétarades de moteurs, de coups de sifflet. Freddy courut à la verrière et risqua un coup d'œil au-dehors.

— Si tu voyais ce branle-bas ! s'exclama-t-il, ça pullule, les uniformes. On se croirait en mai 40 !

Paulo réussit l'une de ses plus belles grimaces.

— Avouez que ça serait truffe de se faire piquer à quelques minutes de l'arrivée du bateau.

Furieux, il tendit vers Frank un index accusateur :

— On est assis sur un tonneau de poudre, et t'es là à couper les cheveux de Lisa en quatre ! J'espère que demain, au Danemark, tu pigeras enfin que t'es libre et que la vie est belle !

Lisa fut sensible à l'espoir contenu dans ces paroles. Elle se jeta contre Frank, cherchant à lui transmettre elle ne savait quel apaisement.

— Il a raison, Frank, tu verras...

Frank la berça un moment contre sa poitrine.

— C'est vrai, réalisa-t-il, le Danemark... Tu m'aideras ?

— Je t'aiderai, promit Lisa avec feu.

— Tu crois qu'un jour j'oublierai ces cinq années ?

— Oui, Frank.

— Je ne parle pas des miennes, rectifia l'évadé en lui soulevant le menton, mais des tiennes.

— Je sais.

— Un jour je recommencerai à te croire ?

Elle hocha la tête.

— Au fond, tu me crois déjà, Frank !

— Tu me diras : « Je n'ai jamais couché avec Gessler », et ça me paraîtra évident hein, tu crois ?

— Je n'ai jamais couché avec Gessler, Frank !

— Et tu n'éprouves rien pour lui ?

Elle regarda lentement, craintivement en direction de l'avocat. Le buste droit, les mains croisées sur ses genoux, Gessler paraissait ne pas entendre.

— Rien, Frank, sinon une grande reconnaissance !

— Ça aussi, fit-il, il faudra l'oublier. C'est ce qu'il y a de plus facile à oublier.

— J'oublierai !

— Et l'allemand ? demanda-t-il tout de go.

— Quoi l'allemand ?

— Tu l'oublieras également ?

— Ce sera comme si je ne l'avais jamais su, mon chéri.

— Tu me le jures ?

— Je te le jure !

— Tu ne te souviendras plus de l'Aussen-Alster quand il est gelé ?

— Plus ! promit-elle.

Elle était dans un état second. Tout venait de rentrer dans l'ordre et une paix douceâtre les enveloppait. Malgré le péril extérieur, ils étaient pleins d'une sérénité très rare.

— Tu ne sauras plus comment est le parc, l'hiver, avec le givre et les arbres en marbre ?

— Je ne le saurai plus !

Il la repoussa avec sa froide brutalité. Son visage s'était convulsé.

— Et tu espères que je vais te croire, Lisa !

— Frank !

— Menteuse ! Sale menteuse ! P... de menteuse !

Elle mit ses mains contre ses oreilles et secoua la tête.

— Oh ! non, arrête ! Je deviens folle !

— Jusqu'à présent tu m'as menti ; comment veux-tu que je te croie ?

— Je ne t'ai pas menti, Frank !

— Tu m'as dit que tu rencontrais Gessler une fois par semaine ; et tu as dû convenir que tu le voyais tous les jours. Tu m'as dit que tu le rencontrais à son cabinet alors qu'en réalité il venait dans ta chambre !

Sa voix s'étrangla dans un sanglot brusque.

— Dans ta chambre ! répéta Frank anéanti. Cette chambre, je ne l'aurai jamais connue, Lisa ! Jamais ! Tu auras beau me raconter le papier de la tapisserie, les meubles, les gravures au mur...

— C'est comme ta cellule, rétorqua Lisa. Je ne l'aurai jamais connue non plus. Et pourtant, c'est facile à imaginer, une cellule ! Trop facile, même : je n'y suis jamais parvenue !

Elle continua avec une véhémence croissante :

— C'est dans cette cellule que tu n'as pas répondu à mes lettres ! C'est dans cette cellule que tu t'es mis à fabriquer ce silence qui me rendait folle. Toi, tu te demandes si je t'ai trompé. Moi, je me demande si tu ne m'avais pas oubliée.

— Oubliée ! dit-il.

Cela ressemblait à une plainte. Lorsqu'il devenait douloureux, Lisa lui pardonnait tout. C'était un enfant fragile ; un enfant perdu dans le monde. Un enfant seul.

— Oublié, reprit-il, mais pas un instant, Lisa. Pas une poussière de seconde !

— C'est toi qui le dis, objecta doucement la jeune femme. Vois-tu, Frank, nous n'avons pour nous convaincre que nos paroles respectives. Ça pourrait suffire. Moi je voudrais bien que ça suffise, mais c'est toi qui décides que ça ne suffit pas !

Paulo vint à eux et leur mit à chacun une main sur l'épaule.

— Il faut la croire, Frank !

Freddy ne voulut pas être en reste.

— Parfaitement, approuva-t-il. Puisque vous nous avez dit qu'on était le jury, voilà notre sentence : il faut vous croire !

Paulo crut bon de faire une démonstration.

— Pendant ces cinq ans, tu oublies qu'on a vu Lisa nous aussi. Pas tous les jours, bien sûr. Tous les cinq ou six mois. Quand on voit quelqu'un tous les jours on ne s'aperçoit pas qu'il change. Mais tous les cinq ou six mois, Franky, ça saute aux yeux. T'es bien d'accord ?

— Où veux-tu en venir ? demanda Frank.

— A ceci : Lisa ne changeait pas. Hein, Freddy ?

Freddy enveloppa Lisa d'un regard complaisant. Il avait toujours éprouvé une certaine tendresse pour l'amie de Frank.

— Non, renchérit-il ; toujours aussi jeune !

— Qu'il est c... ! protesta Paulo. Je parlais du moral, eh, truffe !

« Elle restait pareille vis-à-vis de toi. On sentait que les années ne changeaient rien à son sentiment, Frank. Rien ! Fallait que je te le dise... J'aurais dû te le dire plus tôt, mais ça ne me venait pas à l'idée.

Une corne perçante se mit à glapir en bas, dans la rue. Freddy courut regarder et poussa un juron.

— Les pompiers avec une voiture-grue ! annonça-t-il. Vous voulez parier qu'ils ont découvert le fourgon !

— Ça les occupera. Ils en ont pour vingt bonnes minutes à le tirer de la flotte. Jusqu'à ce moment-là, ils ne savent pas si Frank n'est pas dedans !

Il regarda sa montre. C'était une vieille montre de nickel, piquetée de taches grises et dont le cadran avait jauni. La première montre de Paulo. Il l'avait achetée de ses deniers à une époque où il travaillait.

— Dans un quart d'heure à peine ce sera pour nous « Maman, les petits bateaux ».

Frank était incommodé par la prostration de Gessler. L'autre le dominait par son silence et son immobilité. Il constituait une sorte de falaise abrupte sur laquelle Frank se meurtrissait en vain les poings.

— Eh bien, monsieur le professeur d'allemand, interpella l'évadé, vous ne dites rien ?

— Je n'ai plus rien à dire !

— Même pas adieu à Lisa ?

— C'est déjà fait.

Le sourire provocateur de Frank tomba comme un masque quand se rompt l'élastique.

— Quand ? dit-il.

— C'est fait !

Frank donna un coup de pied dans les téléphones jonchant le plancher. Il aurait voulu tout anéantir. Réduire en poudre ce triste bureau, les docks, la ville...

— Tu vois, Lisa ! C'est ça que je n'aime pas. Ces nuances dans vos relations ; ces éternels sous-entendus. Il te parle de philodendrons ; il prétend t'avoir dit adieu, il... J'en crève ! Vous m'entendez, tous ? J'en crève. Dans le fond, si tu avais le courage de me dire : « Eh bien oui, j'ai été sa maîtresse. J'ai couché avec lui pour le décider à m'aider », je préférerais. Je souffrirais un bon coup, mais je guérirais.

Elle s'éloigna, d'une curieuse petite démarche en biais, humble et peureuse.

— Que vas-tu chercher là, mon pauvre Frank! Tu as donc à ce point besoin de te torturer?

Gessler se releva et boutonna son pardessus. Cette fois il allait partir. Frank le comprit. Une vague mollesse l'empêcha de s'interposer.

— Voyez-vous, fit Gessler, je crois que vous étiez fait pour la prison. Là-bas au moins, vous n'aviez pas à décider. Vous pouviez vous embaumer dans votre désenchantement.

— Est-ce que je vous ai demandé de m'en sortir? tonna le garçon.

— Tais-toi! ordonna Lisa, il y a des limites qu'on n'a pas le droit de franchir. J'accepte de subir ta jalousie insensée. Oui, je t'aime suffisamment pour cela. Je veux bien courber la tête sous tes odieux sarcasmes, m'humilier au-delà de toute dignité. Je veux bien que tu m'insultes, je veux bien que tu me frappes. Mais je ne te laisserai pas nous reprocher de t'avoir sauvé.

Frank arracha ses lunettes de son nez et se mit à les essuyer avec son tricot de marin. Il les regardait tous, alternativement, avec l'œil égrillard d'un farceur qui mijote un bon coup.

— Qui vous permet de croire que vous m'avez sauvé? demanda-t-il.

Lisa s'assit au bureau. Elle joua avec les

fermoirs de la valise ; puis se tournant vers son amant, elle balbutia :

— Si tu regrettes les grilles du pénitencier, il est encore temps, Frank.

Elle montra la verrière crasseuse sur laquelle la pluie ressemblait à des plumes grises.

— Un simple escalier à descendre. Tu t'approches du premier policier venu et tu lui dis : « C'est moi. » Même si c'est en français il comprendra. Va, Frank ! Va !

Paulo voulut intervenir une fois encore, mais il y renonça. Il savait que Lisa avait raison.

— C'est un défi ? demanda Frank.

— Je ne t'ai pas fait évader pour te défier, répondit-elle.

Il marqua une hésitation et marcha vers la porte. Tous retenaient leur souffle. Frank ouvrit la porte et regarda grouiller les uniformes sur le port. Il se sentit lâche tout à coup.

Il repoussa la porte dont les vitres vibrèrent et s'y adossa.

— Il ne fallait pas m'attendre, Lisa, soupira-t-il. Moi, pendant cinq ans j'ai essayé de faire de notre histoire une histoire finie. C'est toi qui as voulu qu'elle continue. Tu l'as charriée à bout de bras pendant tout ce temps. Maintenant, tu me la montres, bien vivante, et tu voudrais que je la reprenne en marche sans me soucier du chemin qu'elle a suivi sans moi !

— Salaud ! s'écria Paulo. C'est un peu fort ! On allonge notre pognon, on se crève l'oignon, on risque notre peau, on joue Fort Alamo à toute la flicaille de Hambourg et le remerciement de Monsieur c'est : « Vous auriez pu me laisser où j'étais » !

Son éclat le calma.

— Faut réagir, Frank ! conclut-il.

— Réagir ! dit Frank, comme si ce mot lui était inconnu.

Il les dévisagea les uns après les autres, étonné qu'ils ne le comprissent pas. Pourquoi ne parlait-il plus le même langage qu'eux, maintenant ?

— Je voudrais que vous me compreniez, implora-t-il. Ce n'est pas une évasion que vous venez de réussir, c'est une exhumation. Une évasion, c'est un truc qui se prépare de l'intérieur : on creuse un trou, on affûte une cuillère, on tresse ses draps et surtout, oui surtout, on y pense ! Evader est un verbe pronominal. On n'évade pas quelqu'un : on s'évade. Moi, personne ne m'a prévenu. J'étais entre mes murs comme un mort entre ses planches. Je ne savais même pas que quelqu'un marchait sur ma tombe ! Vous voudriez me réanimer d'un coup et que je revive aussi vite qu'on meurt d'embolie ? Impossible ! J'ai mis des années à crever, moi !

Paulo essuya la grosse larme qui dégoulinait sur ses joues fripées.

— Vous voyez, Lisa, balbutia le petit homme. Nous avions tout prévu, tout, sauf ses réactions.

Les pompiers réussirent à fixer des grappins sous le fourgon. Avec des grincements aigus, les treuils se mirent en action ; les chaînes se tendirent et la masse sombre du véhicule s'arracha lentement à la vase.

Le commissaire surveillait l'opération, les mains aux poches, son éternel cigare planté dans sa bouche déformée.

Un policier en uniforme s'approcha de lui et fit claquer ses talons.

— J'ai une déclaration à vous faire, herr commissaire, dit-il.

Le commissaire considéra l'homme avec intérêt.

— De quoi s'agit-il ?

— Dans le bureau d'un entrepôt il y a un groupe d'hommes et une femme.

— Eh bien ? fit le magistrat intrigué.

— Je leur ai posé des questions, comme à tous les gens du quartier...

— Et alors ?

— Ils m'ont tous affirmé n'avoir rien vu et je suis reparti en estimant que tout était normal. Seulement quelque chose vient de me revenir à l'esprit. Sur le moment, j'ai enregistré ce détail mentalement, sans m'y attarder...

— Quel est-il ?

— L'un des hommes portait un pantalon d'uniforme.

— Uniforme marin ?

— Non, herr commissaire. Uniforme de motard !

— Vous êtes sûr ?

— A peu près, herr commissaire !

Le commissaire regarda le fourgon sortir de l'eau.

— Qu'on cerne immédiatement l'entrepôt en question, ordonna-t-il. Ne laissez sortir personne. Mais n'intervenez pas avant que nous ayons examiné l'intérieur du fourgon.

Quelque part, la demie de sept heures retentit. Le policier regarda sa montre.

— Ce clocher avance de cinq minutes, fit-il.

Warner entra en trombe dans le bureau.

— Ça y est ! le bateau accoste.

— C'est pas dommage ! soupira Freddy, ivre de soulagement.

— Qu'est-ce qu'il dit ? demanda Paulo.

— Voilà le barlu !

Warner partit dans une longue tirade. Lorsqu'il eut achevé, Frank se tourna vers Gessler.

— Ce qui veut dire ?

— Il dit qu'ils ont placé des sacs sur le quai et que vous devrez ramper derrière pour atteindre la caisse sans être vus. La police foisonne.

— Il faut y aller, décida Lisa en enfilant son imperméable. Viens, Frank !

Frank acquiesça.

— Paulo et Freddy, embarquez les premiers, nous vous suivons.

— Surtout ne lambinez pas, hein ! s'inquiéta Paulo.

Il porta deux doigts à son oreille, en un salut qui ressemblait à une pirouette.

— Personnellement je vous dis merci, Gessler, dit-il. Votre tête ne me revient pas tellement, mais je vous dis merci quand même.

Les deux hommes sortirent par l'entrepôt.

— Alors on se quitte, maître? fit l'évadé.

Gessler hocha la tête.

— On se quitte.

— Sale moment pour vous, n'est-ce pas?

— Un moment préparé, minuté, riposta Gessler sans se départir de son calme.

— En me faisant évader, vous saviez que vous alliez perdre Lisa...

— Je le savais.

Lisa craignit de voir son ami repartir dans une nouvelle crise.

— Dépêchons-nous! supplia-t-elle.

— Attends, jeta Frank avec un geste d'agacement.

— Le bateau, lui, n'attendra pas, assura Gessler.

— Vous l'aimiez et vous acceptez de la perdre? ironisa Frank. Quelle grandeur d'âme!

— Qui vous dit que je la perds? objecta Gessler.

— Partons, vite, Frank! insista la jeune femme. Le bateau...

— J'arrive, promit l'évadé. J'arrive...

Il prit Gessler par le bras, familièrement.

— Tout à l'heure, j'ai reconstitué symboliquement ma cellule et je vous y ai fait entrer en me disant : « S'il fait un pas pour en sortir je l'abats. » Vous en êtes sorti et pourtant je n'ai pas tiré...

Il sortit de sa poche le pistolet de Freddy.

— C'est dur de tuer un homme qui aime la même femme que vous ! Beaucoup plus dur qu'on ne croit.

Baum donna un coup de pied dans la porte de l'entrepôt. Il n'entra pas. Fiché dans l'encadrement, les poings aux hanches, il avertit :

— Arrivez tout de suite, les autres sont déjà à bord et le bateau va partir.

Lisa se suspendit au bras de Frank.

— Tu ne comprends donc pas ! Il faut faire vite ! Vite ! Le bateau...

Baum disparut en levant les bras au ciel pour montrer qu'il renonçait à comprendre.

Frank pointa le pistoler sur Gessler.

— Je crois très sincèrement que votre mort m'apaiserait, Gessler. Mais je n'ai pas le courage de vous tuer.

— Cela vous regarde, fit l'avocat avec un suprême détachement.

Frank cueillit la main pantelante de Lisa, lui ouvrit les doigts et logea la crosse du pistolet dans le creux de sa main.

— C'est Lisa qui va s'en charger, assura-t-il. N'est-ce pas, Lisa ?

Elle regarda l'arme, hébétée.

— Mais, Frank, fit-elle plaintivement, qu'est-ce que tu veux dire ?

— Je te demande de dire adieu à ton professeur d'allemand, Lisa. Je t'offre l'occasion unique d'effacer ces cinq années de cauchemar.

Elle comprit enfin et lâcha le pistolet comme s'il lui avait brûlé la main.

Frank le ramassa sans se presser et le lui replaça entre les doigts.

— Tu abats Gessler et ce sont dix-huit cent vingt-deux jours qui se volatilisent. Dix-huit cent vingt-deux jours que nous n'aurions jamais dû vivre. Tout recommence, Lisa ; tout ! Le jour se lèvera demain sur un Danemark tout neuf !

— Mais non, Frank, soupira Gessler, vous vous trompez encore : on ne cache pas le blé en l'enterrant.

— Le bateau part dans dix secondes, aboya Frank, alors tire !

— Jamais ! protesta Lisa.

— Si tu tires, reprit-il avec ardeur, je saurai que tu n'as jamais été sa maîtresse. Je saurai que tu n'as jamais rien éprouvé pour lui... Mais si tu ne tires pas, je pars sans toi ! Décide : le moment est venu pour toi de dire adieu à l'un de nous deux.

Gessler sortit son mouchoir pour essuyer un peu de sueur sur son front.

— Vous pouvez tirer, Lisa, fit l'avocat. Je me sens accroché à la vie de façon si précaire.

Elle secoua la tête.

— Adieu, Lisa ! jeta Frank en se dirigeant vers la porte.

— Frank ! appela-t-elle ; Frank, ne fais pas ça.

Il fit une brusque volte-face et, de toutes ses forces, hurla :

— Mais, bon Dieu, Lisa, tu n'as donc pas envie de tuer ces cinq années misérables ?

— Si, chuchota Lisa d'une voix imperceptible. Oh ! si !

Elle pointa le pistolet en direction de Frank. Il comprit mais ne fit pas un geste. Il y eut alors quelques secondes d'une tension inhumaine, puis, posément, avec presque de l'application, Lisa tira quatre balles.

A chaque projectile, Frank marqua un tressaillement. Son regard se fit lointain. A travers un écran de fumée bleue, il vit s'anéantir la chère silhouette de Lisa. Alors il croisa ses deux bras contre sa poitrine et s'acagnarda au mur. Il se mit à glisser doucement, le long de la paroi, s'efforçant de contenir sa lucidité.

Lisa resta face à lui.

— Ça n'aurait servi à rien, le Danemark, dit-elle sourdement. Et la mort de Gessler n'aurait servi à rien non plus. Si j'avais été certaine qu'elle t'apaise, je l'aurais tué, Frank, je te jure que je l'aurais tué.

— Oui, fit l'avocat, de la même voix incertaine, oui, Lisa, vous m'auriez tué.

Frank coula d'un bloc sur le plancher, étrangement pelotonné sur lui-même. Il ressemblait à un gosse endormi. Lisa se laissa tomber à genoux.

— Je te jure que ç'aurait été inutile, Frank. Tu le sais, dit, mon amour ? Tu le sais ?

Frank réussit un léger acquiescement de la tête. Ses lèvres remuèrent, mais à cet instant précis la sirène du bateau qui appareillait retentit. Lorsque la sirène se tut, Frank était mort, une joue appuyée sur son bras replié.

Une immense rumeur jaillit des quais. La voix d'un haut-parleur nasilla quelque chose que Lisa ne comprit pas. Puis le même haut-parleur répéta dans un abominable français :

— Attention ! Attention ! Vous êtes cernés. Vous allez sortir les uns après les autres en gardant vos mains croisées derrière la tête. Attention ! Attention ! *Achtung ! Achtung !*

Gessler toucha l'épaule de la jeune femme.

— Venez, Lisa, ordonna-t-il. Nous, nous ne sommes pas encore arrivés !

Elle le regarda sans comprendre, mais il l'aida à se lever et elle se laissa guider jusqu'à la porte.

Lorsqu'ils apparurent à la verrière, il se fit en bas un brusque silence.

Gessler croisa ses mains derrière sa nuque et se mit à descendre l'escalier de fer.

FIN

Achevé d'imprimer en décembre 1990
sur les presses de l'Imprimerie Bussière
à Saint-Amand (Cher)

PRESSES POCKET - 8, rue Garancière - 75285 Paris
Tél. : 46-34-12-80

— N° d'imp. 3855. —
Dépôt légal : décembre 1990.

Imprimé en France